Themâu Ein Llên

Themâu ein Llên

Blas ar Themâu ein Llenorion

Emyr Llywelyn

y Lolfa

Argraffiad cyntaf 2007

Awdur: Emyr Llywelyn

Comisiynwyd gyda chymorth ariannol
yr Adran Addysg Dysgu Gydol Oes a Sgiliau

Llun y clawr: Mary Lloyd Jones
Cynllun y clawr: Y Lolfa
Dylunio: Dafydd Saer

Rhif Llyfr Rhyngwladol: 0 86243 960 4
ISBN-13 9780862439606

Cyhoeddwyd yng Nghymru
ac argraffwyd ar bapur di-asid
gan Y Lolfa Cyf., Talybont, Ceredigion SY24 5AP
gwefan www.ylolfa.com
e-bost ylolfa@ylolfa.com
ffôn 01970 832 304
ffacs 832 782

Cynnwys

Rhan Dau

Cyflwyniad

Ffuglen

Mae dweud stori wedi bod yn rhan hanfodol o fywyd dyn ar hyd y canrifoedd. Rydyn ni'n treulio llawer iawn o'n hamser yn dweud storïau, gwrando ar storïau, darllen storïau, gwylio storïau ar lwyfan, sgrîn deledu neu ffilm. Mae ein llyfrau hanes ni'n llawn storïau, a storïau yw'r rhan fwyaf o'n sgwrs bob dydd ni. Rhywbeth dwfn yn natur dyn yw'r angen i ddweud a chlywed stori, a dyna pam y mae plant, cyn gynted ag y medran nhw siarad, eisiau clywed storïau. Cyn bod llyfrau roedd dynion yn difyrru eu hunain drwy wrando ar storïau a chwedlau, ac rydyn ni'n ffodus fod gyda ni, y Cymry, rai o'r chwedlau mwyaf prydferth yn y byd.

Wrth edrych ar y straeon a adroddwyd ar hyd y canrifoedd does dim amheuaeth fod yna ryw elfennau sy'n gyffredin i bob stori. Yn gyntaf, y mae arwr neu arwres. Yna fe ddatgelir y cefndir, sef amser a lleoliad y stori. Yna mae rhywbeth yn digwydd sy'n arwain at gyfres o anturiaethau sy'n newid bywyd yr arwr. Mae gwrthdaro ac ansicrwydd a rhyw elfen ddrwg mewn person neu bersonau. Mae'r stori'n arwain at ryw fath o ddatrysiad a gall orffen yn hapus neu'n drist.

Cymeriadau dychmygol sy'n darlunio bywyd

Mae'r 'ffug' yn y gair ffuglen yn ein hatgoffa ni'n gyson mai cymeriadau dychmygol a sefyllfaoedd dychmygol a geir mewn stori neu nofel. Gall nofel gynnwys cyfeiriadau at bobl, digwyddiadau a lleoedd go iawn, ond y mae yna rywbeth mwy na hynny. Nid darlun ffotograffaidd o fywyd yw nofel, ac mae'r byd a ddarlunnir mewn nofel yn fyd dychmygol sydd rywsut yn 'cynrychioli bywyd go iawn'. Mae hyd yn oed nofelau ffantasi, neu nofelau wedi'u lleoli mewn byd dychmygol, neu'r dyfodol, fel petaen nhw'n ein cyfeirio ni'n ôl at fywyd go iawn. Yn wir, yn aml iawn wrth bortreadu byd dychmygol y mae awduron fel George Orwell a Robin Llywelyn yn fwriadol yn creu byd felly er mwyn dweud rhywbeth am y byd go iawn.

Rhyddiaith a Naratif

Crefft ysgrifenedig yw crefft rhyddiaith – yn hyn o beth y mae'r storïwr modern yn wahanol i'r hen gyfarwydd a fyddai'n adrodd storïau ar lafar, ac yn wahanol hefyd i farddoniaeth. Perthyn i fyd y glust a'r galon yn bennaf y mae barddoniaeth, ond mae rhyddiaith yn ymwneud mwy â byd y gweld a'r deall. Mae rhyddiaith yn gymorth i sefydlu argraff o fyd go iawn – byd rhyddieithol ein bywyd beunyddiol. Oherwydd hyn, mae gan y nofel y gallu i roi darlun gweledol a manwl o fyd a rhoi i'r cynfas eang hwnnw fwy o liw ac amrywiaeth nag a wneir mewn cerdd.

Mae nofel yn Naratif, hynny yw, mae yma ddweud stori, ac ymhob naratif mae edrych yn ôl – sef ail-greu. Yr hyn sydd mewn nofel yw rhywun yn dweud wrthon ni beth ddigwyddodd. Yn union fel bydd person wrth ddweud stori ar lafar yn rhoi i'r hyn a ddigwyddodd ei liw a'i weld arbennig ef, felly gyda nofel – mae pob 'dweud' wedi'i liwio gan y person sy'n dweud. Mae'n hollbwysig cofio bod y nofelydd yn dewis ac yn lliwio wrth adrodd ei stori, ond, wrth gwrs, pan fyddwn ni'n darllen, fyddwn ni ddim yn sylweddoli bod y nofelydd wedi symleiddio a dethol i greu'r darlun a welwn ni.

Rhan I

Awduron a'u gwaith

Caryl Lewis

Merch a fagwyd ar fferm yng nghanol Ceredigion yw Caryl ac fe fanteisiodd ar hynny wrth greu darluniau byw i ni yn ei nofel gyntaf *Dal Hi!* o fywyd cymdeithasol pobol ifanc y sir. Wrth i Caryl gael ei magu mewn cymdeithas glos, cefn gwlad, llwyddodd i ddod i adnabod cymeriadau o bob oedran a manteisio ar yr adnabyddiaeth honno o bobl yn ei hail nofel sef *Martha Jac a Sianco*. Yn y nofel honno cawn dri chymeriad sydd, ar ryw olwg, yn perthyn i'r oes o'r blaen ac yn gyfyngedig i'w milltir sgŵar. Ond eto maen nhw'n gymeriadau diddorol, cymeriadau sy'n ennyn dicter ar adegau ac adegau eraill yn annwyl a diniwed.

Cryfder mawr Caryl fel nofelydd yw ei bod hi'n gallu creu stori dda ac mae hynny yr un mor wir am ei thrydedd nofel, *Y Gemydd*, sydd â chefndir gwahanol iawn i'w dwy nofel gyntaf.

Cyflwyniad i waith Caryl Lewis

Realaeth a Moderniaeth

Mae nifer o feirniaid llenyddol, wrth drafod y nofel, yn defnyddio terminoleg arbennig – ac efallai mai da o beth fyddai ceisio esbonio, mor syml â phosibl, beth yw ystyr y geiriau uchod.

Realaeth

Mae Realaeth yn cael ei ddefnyddio i ddisgrifio ffuglen lle mae'r cymeriadau, digwyddiadau a golygfeydd yn cyfateb i'r byd go iawn – bywyd bob dydd. Yr anhawster yw bod y byd mae'r nofelydd yn ei greu mewn gwirionedd yn wahanol iawn i fywyd bob dydd.

Yn ôl Georg Lukács dylai nofelydd geisio darlunio'r byd yn realistig, ond eto fynd o dan yr wyneb at hanfodion bywyd. Wrth gwrs, dyw hyn ddim ond yn bosibl os bydd y nofelydd yn dewis a dethol o'r byd go iawn – dethol ffeithiau, cymeriadau, golygfeydd. Roedd Lukács yn ystyried mai'r nofel realaidd glasurol o'r bedwaredd ganrif ar bymtheg oedd y nofel ddelfrydol. Cysylltir y math yma o nofel gydag enwau pobl fel Tolstoy, Balzac, Stendhal a Flaubert. Roedd yr awduron hyn yn mynd i drafferth mawr i ofalu bod y ffeithiau yn eu nofelau yn gywir ac yn gwneud llawer o ymchwil i sicrhau hynny.

Nofelau realaidd, clasurol a gafwyd yng Nghymru ers cyfnod Daniel Owen tan ein cyfnod ni. T Rowland Hughes, Kate Roberts, Islwyn Ffowc Elis, Jane Edwards, Eigra Lewis Roberts, Rhiannon Davies Jones, Marion Eames. Ond gyda nofel Caradog Prichard *Un Nos Ola Leuad*, fe ddechreuwyd arbrofi gyda ffurf y nofel yng Nghymru. Mae llawer o elfennau gwahanol yn *Un Nos Ola Leuad* – gosod mwy nag un cymeriad yn y nofel i gynrychioli un person; cymysgu amser; adroddwr dienw; arddulliau gwahanol; defnydd helaeth o symbolaeth; a llawer o amwysedd.

Bu llawer o arbrofi gyda ffurf y nofel Gymraeg ers hynny, er enghraifft, yn *Dyddiadur Dyn Dwad,* Dafydd Huws fe gafwyd llawer o elfennau nad oedden nhw'n realaidd, glasurol. Gyda nofelau William Owen Roberts, Robin Llywelyn a Mihangel Morgan, daeth to o nofelwyr oedd yn ymwrthod â chonfensiynau'r nofel realaidd.

Moderniaeth

Un o nodweddion Moderniaeth yw bod yn hunanymwybodol ac atgoffa'r darllenydd mai ffuglen yw'r nofel. Fe wnaeth nofelwyr fel Joyce, Woolf a Proust ymwrthod â 'gormes y plot'. Fe welir y modd y newidiodd agwedd nofelwyr tuag at y nofel ar ddechrau'r ganrif yng ngwaith awdur fel Joseph Conrad. Yn 1898 roedd Conrad yn ysgrifennu: "Rhaid i chi gael plot. Os nad oes plot gyda chi fe fydd pob adolygydd dwl yn eich cicio. Does dim modd cael llenyddiaeth heb blot." Ym 1902 roedd e'n ysgrifennu, "Rhaid i chi beidio â bod yn hollol real os ydych chi am fod yn ffyddlon i'ch dogma o realaeth. Ni fydd realaeth mewn celfyddyd fyth yn medru cyrraedd at realiti."

Cred y Modernwyr nad yw realaeth mewn nofel yn llwyddo i gyfleu'r gwir am bobl ac am y byd. Fe wnaeth y Modernwyr ddechrau troi oddi wrth y plot da; y cymeriad crwn realaidd; a'r byd gweladwy at ddulliau eraill o gyfleu'r gwirionedd am ddyn ac am y byd. Hawliodd Virginia Woolf y byddai ffuglen fodern yn meddu ar nodweddion barddoniaeth, ac roedd hi'n condemnio ffuglen adroddiadol oedd yn seiliedig ar ffaith. Credai hi ei bod yn rhaid i ffuglen ddefnyddio awgrymiadau barddonol gan roi pwyslais ar iaith a delwedd.

Un o brif nodweddion Moderniaeth oedd rhoi mwy o sylw i'r hunan mewnol – sef llif yr ymwybod a'r byd isymwybodol. Un o'r prif bethau oedd y newid yn y modd y portreadwyd cymeriad. I'r modernwyr, megis Conrad, Ford Madox Ford, Lawrence, a Virginia Woolf, roedd portreadu cymhlethdod ac aml agweddau'r 'Fi' neu ego canolog yn bwysig. Y prif beth oedd llif meddyliau a monolog mewnol.

Cyfweliad Caryl Lewis

Yr hyn roeddwn i'n synnu ato, gan eich bod chi'n ferch ifanc, yw bod llawer o sôn am greulondeb bywyd yn eich nofel.

Mae byd natur yn greulon. Mae yna bethau sy'n anghywir mewn natur ac yn greulon – pethau na fedrwn ni wneud dim yn eu cylch. Mae'r stori ar ddechrau'r llyfr am y fuwch yn wir. Doeddwn i ddim yn gwybod ble i ddechrau'r nofel. Roedd y cymeriadau yn fy mhen i ond doeddwn i ddim yn gwybod ble'r oedd angori'r stori a chychwyn y nofel. Fe ddaeth Mam adre ac fe ddywedodd Mam fod y fuwch yn gwneud niwed iddi'i hun, buwch ddu a gwyn a'r gwaed yn goch. Roeddwn i'n methu â chysgu'r noson honno. Roedd y fuwch druan, oherwydd rhyw nam cemegol, wedi torri'r cylch naturiol o fagu. Roedd hi wedi stopio amser hefyd. Mae'r olygfa gyntaf felly'n symbol o'r pethau creulon sy'n digwydd i ddyn ac anifail ac nad oes esboniad pam arnyn nhw – yn symbol o dynged y tri chymeriad sy'n cael eu dinistrio gan amgylchiadau.

Rwy'n sylwi bod llawer o symbolaeth yn y nofel.

Oes. Dyna i chi'r tynnu cynrhon allan o gefn oen bach. Golygfa symbolaidd o ddioddefaint y diniwed, ac o'r llygredd neu greulondeb sydd yn y byd yw'r olygfa hon. Ond mae Martha, druan, yn methu cael gwared ar ei phoen fel y llwyddwyd ei wneud i'r oen bach. Fe geisiais yn y frawddeg olaf ac yn y gair olaf gyfleu symbol o boen Martha yn y gair 'Gwynfor':

> Roedd twll yng nghefn yr oen a'r cynrhon yn symud dan y croen gan wneud i'r cwbwl ferwi. Fydde hwn ddim byw dridie arall. Arllwysodd Jac yr hylif a thasgodd yr oen wrth iddo losgi i mewn i geg y clwy. Cydiodd Sianco'n dynnach yn ei wddwg a'i wasgu i mewn i ffens y lloc gan wneud patrwm o sgwariau yn ei wlân. Roedd y da bach yn dal i edrych dros y clawdd. Tasgai'r cynrhon ond roedd hi'n amhosib iddyn nhw ddod mas am eu bod wedi bwyta mor ddwfn i mewn o dan y croen. Doedd dim byd i'w wneud ond tynnu'r diawled mas yn gorfforol. Gwasgodd Jac fys i mewn i'r twll yn y cnawd llaith a gwneud siâp bachyn, yna, gwthio dan y croen am fodfeddi nes bod ei fys o'r golwg yn gyfan gwbwl a thynnu'r cynrhon mas a'u gadael i lawio'n wyn i lawr ar y pridd. Caeodd Sianco'i lygaid yn dynn a Martha'n crychu'i thrwyn. Roedd arogl yr hylif a'r cnawd wedi pydru a'r gwres yn codi cyfog ar Martha a gorffwysodd hi ei llaw ar y sinc er mwyn ei sadio'i hun. Ar ôl gorffen, arllwysodd Jac ragor o'r hylif i'r briw a gollyngwyd yr oen yn rhydd. Gwyliodd y tri e'n mynd gan siglo'i gefn a'i ben-ôl. Gallai Martha ddychmygu'r boen a ddioddefodd, a hefyd yr iachâd a deimlai o gael gwared arnyn nhw.
>
> "Wel, os na farwith y ffycer o sioc, fe fydd e 'di gwella mewn deuddydd."
>
> Sychodd Jac ei fysedd yn nefnydd ei drowser a dechreuodd gerdded am y parlwr godro. Cododd Sianco'r tuniau a'r chwistrellwyr a'u gosod yn y fasged fwyd ar bwys y clawdd a cherdded yn ara at y Stordy gan gydio'n dynn yn Bob. Arhosodd Martha am sbel yn gwylio'r oen yn straffaglu ar draws y ca' gan siglo'i ben. Hithau'n meddwl am y cnawd, am y cynrhon ac am Gwynfor.

Fyddai hi'n iawn dweud ei bod hi'n nofel sy'n dangos ffawd greulon heb unrhyw gysur na swcwr crefyddol? Mae crefydd neu obaith crefyddol yn absennol o'r nofel. Ydy hyn yn fwriadol?

Ydy, mae'r bwgan brain ar groes. Mae'r bwgan ar y groes yn symbol o grefydd.

Mae'r teulu wedi'u claddu ar glawdd y fynwent – babi wedi ei gladdu rhwng dau le. Dyw'r baban ddim yn perthyn i neb. Does dim rôl i grefydd yma – mae natur mor bwerus does dim gobaith ffals. Mae'r bwgan brain a Sianco yn agos iawn. Mae'r bwgan brain yn edrych fel dyn ond eto dyw e ddim yn ddyn cyflawn ac felly mae'n debyg i Sianco. Ym mreichiau'r bwgan brain mae Sianco yn marw – mae rhyw fath o dynnu yn ôl at y groes. Croga'r bwgan brain ar y groes fel Iesu ar y groes, ac mae cysgod y groes dros Jac pan mae'n cael trawiad yn llawnder y barlys. Mae'r bwgan ar groes felly'n symbol o ddioddefaint ac yn symbol o grefydd gonfensiynol sy ddim yn gweithio.

Fyddwch chi'n gwneud defnydd symbolaidd o'r cefndir mewn nofel?

Mae'r olygfa gyntaf yn y nofel yn symbolaidd o fywyd y tri chymeriad. Roeddwn i eisiau i'r tri siarad yn y twyllwch ac roedd hynny'n symbol fod prif lif bywyd, golau dydd bywyd fel petai, wedi pasio heibio iddyn nhw heb iddyn nhw gyrraedd i unman. Am eu bod nhw'n gymeriadau rhyfedd roeddwn i eisiau eu cyflwyno mewn sefyllfa ryfedd – yn y nos yn eistedd ym môn clawdd. Roedd hynny'n symbol o'r ffordd roedden nhw wedi eu hynysu oddi wrth fywyd.

Sut y byddwch chi'n mynd ati i greu cymeriad?

Mae dialog yn bwysig i fi. Fe fydda i'n clywed fy nghymeriadau'n siarad. Mae'r cymeriadau'n dod yn fyw i fi. Gall hyn fod yn annifyr pan mae cymeriadau'n dod mor fyw nes y bydda i'n byw gyda nhw. Roeddwn i'n cael hunllefau am Sianco. Maen nhw'n gallu rheoli bywyd. Roeddwn i'n teimlo weithie, bod rhaid i fi gael bws mini i fynd â nhw o gwmpas achos eu bod nhw mor hollbresennol!

Fe fydda i'n meddwl bod nofelydd yn teimlo'i fod yn defnyddio cymeriadau i ddweud ei stori, ond mewn gwirionedd nhw sy'n defnyddio'r nofelydd i ddweud eu stori nhw. Rwy'n byw gyda fy nghymeriadau, yn siarad â nhw ac maen nhw'n siarad â fi. Fe ddechreues i'r nofel yn fwriadol gyda dialog er mwyn dangos y tri chymeriad trwy gyfrwng dialog, ac mae'r hyn mae'r tri yn ei ddweud yn adlewyrchu'r tri chymeriad. Jac yn wyllt a diamynedd, Sianco ddim yn iawn gyda nam arno a Martha yn amyneddgar, addfwyn:

> "Dewch nawr te, myn uffarn i, ne' bydd hi 'di goleuo cyn i ni gyrradd."
> "F... f... fi ff... ff... ffeili gweld..."
> "Dewch nôl â'r gole 'na fan hyn, Jac, er mwyn Duw, ne' byddwn ni 'di torri'n coese 'n tri."

Does dim dialog mwy trist na dialog lle mae un person yn siarad, a'r person arall ddim yn gwrando neu ddim yn deall. Dyna sydd yn yr olygfa lle mae Martha yn dweud wrth Sianco am y baban a gafodd ac a fu farw ar ei enedigaeth. Mae'n rhyddhad i Martha gael dweud er nad yw Sianco yn ymateb nac yn deall arwyddocâd yr hyn mae hi'n ei ddweud:

> Wrth edrych ar y cathod bach yn y cae llawn pydredd, daeth rhyw lonyddwch mawr dros Martha ac fe roddodd sioc iddi hi ei hunan wrth ddechrau siarad.
> "Ces i fabi unwaith, Sianco."
> Neidiodd hwnnw, dim oherwydd ei geiriau, ond oherwydd iddi dorri ar draws ei fyfyrdod.
> "Wel, am 'chydig bach," ailgychwynnodd Martha, "ces i un am sbel. Reit fan hyn."
> Canodd gwdihŵ mewn rhyw glawdd yn y pellter ac edrychodd Sianco i fyny i gyfeiriad y sŵn wrth i ganol du ei lygaid ledu.
> "Un Wil oedd e," roedd y geiriau fel petaen nhw'n dod o rywle arall, "a ces i fe fan hyn, pan ro'n ni'n paratoi i hau'r barlys."
> Doedd Martha ddim hyd yn oed yn gwrando arni hi ei hunan.
> "Pymtheg o'n i a do'n i ddim yn gwbod 'i fod e'n dod."
> Edrych ar y cathod bach wnaeth Sianco a dweud dim.
> "Nath e ddim byw. Ond 'nes i ddim byd iddo fe. Cydies i ynddo fe'n dynn, dynn, dynn."
> Gwenodd Sianco arni wrth feddwl am y fath fagad.
> "Ac wedyn ro'dd e wedi mynd."
> Nodiodd Sianco ei ben.
> "Do'n i ddim yn gwbod beth i neud. Allen i ddim gweud wrth Mami. Claddes i fe fan hyn, yn y clawdd fan 'na ac es i gatre i folchi. Odd e'n fach, fach, rhy gynnar iddo fe ddod falle. Dyw Wil ddim yn gwbod hyd heddi, cofia; do's neb yn gwbod."
> Chwythodd y gwynt ddarn o wallt i mewn i lygad Sianco.

Rwy'n hoff iawn o'ch prif gymeriad, Martha, a'i brwydr arwrol hi yn erbyn amgylchiadau.

Mae Martha yn gymeriad trasig sy'n brwydro'n ddewr i gadw pethau i fynd. Dyna i chi Martha yn rhoi'r badell dros ôl traed Gwynfor, sef dangos yn symbolaidd awydd Martha i ddal gafael ar hapusrwydd a hiraeth am yr hyn a allai fod wedi bod. Er ei bod wedi ei wrthod mae hi angen cadw'r atgof a chael cysur o hynny.

Person amherffaith yw Martha fel pawb arall. Mae rhyw falchder ynddi. Martha yw'r cymeriad cryf ac mae hi'n teimlo dros bobl eraill.

Beth am gymeriad Sianco?

Mae Sianco yn agos at natur. Dyw e ddim yn byw bywyd ar yr un lefel â ni, ond yn ymateb yn reddfol fel anifail. Eisiau cysur a sicrwydd y mae Sianco, ac mae diniweidrwydd a symlrwydd didwyll anifail ynddo.

Fyddai hi'n wir dweud eich bod chi'n disgrifio'ch cymeriadau'n fwy drwy ddialog a sefyllfa na thrwy ddisgrifiadau corfforol.

Mae yna ddisgrifiadau corfforol wedi eu gwasgaru yma a thraw yn y nofel – roeddwn i eisiau rhoi sgetsh fer ohonyn nhw heb fod yn rhy fanwl yn y bennod gyntaf. Rwy wedi osgoi disgrifiadau corfforol yn fwriadol.

Rwy'n teimlo, run fath â chysgod y tad absennol yn* Un Nos Ola Leuad *Caradog Prichard, fod cysgod y fam dros y nofel hon.

Fe wnes i wneud y fam absennol yn hollbresennol bron. Mae un bennod yn gorffen, "Beth ddwedai Mami am hyn?" Mae cysgod 'Mami' dros y cymeriadau. Mae ei dylanwad hi yno – mae hi'n symbol o ormes teuluol a pharchusrwydd. Roedd y fam yn fenyw greulon yn y ffordd roedd hi wedi rheoli ei theulu'n llwyr a dinistrio bywydau'r plant yn y broses.

Rwy'n sylwi eich bod chi wedi gwau iaith lafar Dyffryn Aeron i mewn i'r iaith lenyddol yn y dialog ac yn y testun hefyd.

Rwy'n ffodus 'mod i'n etifedd i iaith lafar gyfoethog Dyffryn Aeron. Rwy'n ymwybodol bod pobl fel hyn sy'n byw mewn byd tu allan i'r byd soffistigedig modern yn bodoli. Fe fydda i'n gwrando llawer ar y bobl o 'nghwmpas i. Rwy'n treulio llawer o amser gyda phobl hŷn, ac yn cofio ac yn cofnodi ac yn defnyddio'u hiaith gyfoethog. Rwy'n hoff o sgrifennu dialog gan fod fy meistrolaeth ar yr iaith lafar yn llawer mwy na fy meistrolaeth ar yr iaith lenyddol. Iaith fy mam-gu yw iaith y nofel. Fe fydd y dialog yn dod ohono'i hun i mi.

Fedrwn i ddim peidio â meddwl am nofelau Thomas Hardy yn y modd mae byd natur yn hollbresennol yn y nofel ac yn rhan hanfodol o fywyd y cymeriadau.

Cefais fy magu ar fferm ac mae llawer o'r digwyddiadau'n codi o fy mhrofiad i. Mae byd natur, fel petai, yn ein hatgoffa ni o'r posibiliadau mewn bywyd, yn ein hatgoffa o'r pethau rydyn ni'n eu colli.

Rwy wedi defnyddio'r syniad o fyd natur sy'n ddi-hidio o dynged dyn a chreu gwrthgyferbyniad rhwng natur yn llewyrchu tra bo dyn yn dioddef. Yn y gwanwyn mae popeth yn egino. Yn yr un olygfa, mae Martha yn gwrthod Gwynfor tra bod blodyn yn blodeuo – dyma enghraifft o wrthgyferbyniad rhwng y cefndir a'r digwyddiad.

Enghraifft arall yw Jac yn cael strôc yn llawnder y barlys, a Sianco yn crïo am greulondeb bywyd tra bod llawenydd bywyd i'w weld yn y fuwch a'r llo bach newydd-anedig.

Fe fyddwch chi weithiau'n defnyddio cefndir i gyd-fynd â theimladau neu sefyllfa cymeriad.

Weithiau rwy'n defnyddio natur fel cefndir trist lle mae amgylchiadau'r cymeriad yn drist – dyna Jac yn dod adre i farw a'r gaeaf ar fin dod gyda'r hydref yn crino'r cloddiau:

> Daethpwyd â Jac adre wrth i hydref roi'r gymdogaeth ar dân gan oleuo'r cloddie yn fflame coch ac oren i gyd. Roedd hi'n dal yn gynnes a'r dail yn cwrlo yn yr awyr sych. Cariwyd ef i fyny'r grisie gan y dynion ambiwlans a'i roi yng ngwely Mami a Dat.

Martha wedyn yn cyfaddef am y babi adeg llygru'r barlys:

> Wrth edrych ar y cathod bach yn y cae llawn pydredd, daeth rhyw lonyddwch mawr dros Martha ac fe roddodd sioc iddi ei hunan wrth ddechrau siarad.
> "Ces i fabi unwaith, Sianco."

Rydych chi wedi defnyddio cefndir yn symbolaidd, megis y storws tywyll yn llawn hen bethau, sy'n symbol o'i gorffennol yn llethu Martha.

Fe geisiais gyfleu'n symbolaidd y modd y mae cysgod ei mam a'r gorffennol drosti yn ei llethu. Mae'r geiriau 'Tynhaodd brest Martha' yn cyfleu'r modd mae ei hamgylchiadau yn gwasgu arni. Mae'r ffaith iddi ddarganfod gwenwyn yn symbol o'r modd y mae'r lle yn gwenwyno eu bywydau ac yn wir yn arwain at eu marwolaeth yn y diwedd.

> Aeth at y storws, dringo'r stepiau slât, tynnu'r allwedd mas o'i phoced ac agor y drws. Gwthiodd y drws ar agor wrth i'r llygod ddiflannu i berfeddion y tywyllwch. Roedd y dwst yn serennu yn yr awyr fel petai'n wincio arni, a chamodd Martha i mewn. Roedd y storws fel mynwent o hen bethau: hen ddodrefn, cadeiriau ffansi nad oedd lle iddyn nhw yn y tŷ, magle, trapie llygod wedi rhydu, hen gyfrwy'r ceffyle gwedd oedd wedi hen adael y tir, pedolau maint platiau cinio, hen focsys bisgedi a lluniau pert o flodau a menywod prydferth arnyn nhw, yn llawn dop o sgriws a hoelion. Yn ara bach, daeth llygaid Martha'n gyfarwydd â'r tywyllwch. Ar hyd un wal roedd silffoedd pren yn sigo dan bwysau'r trugareddau. Brwydrodd Martha ei ffordd atyn nhw, ac ar y silff waelod roedd hen oasis blodau a llythrennau plastig yn sillafu enw. Roedd y blodau wedi hen wywo a'r oasis mor wyrdd â'r plastig o hyd. Roedd cwrlyn o ruban plastig pinc wedi'i glymu y tu ôl i'r llythrennau. Tynhaodd brest Martha. Symudodd ei bysedd ar hyd y silffoedd gan graffu i ganol yr annibendod a'i bysedd yn ddu gan y budreddi. Yna, daeth o hyd iddi – potel fach blastig wen a'i chap melyn yn llwyd dan y fflwcs. Tynnodd Martha ei bys ar draws y label gan ddatguddio'r print. Strychnine alkaloid (0.5%). Gwenodd. Dylai hwn wneud y job. Glanhaodd y dwst oddi ar y botel ac aeth i eistedd ar un o'r cadeiriau ffansi. Roedd ei chefn hi'n dost. Eisteddodd yno am ychydig gan gydio'n dynn yn y botel ac edrych ar y llythrennau plastig gwyrdd oedd yn dal i sillafu 'Mami' yn y tywyllwch.
> Hen beth od yw Strycnin 'fyd. Ddim yn beryg nes iddo gael ei gymysgu â dŵr. Roedd lot o wenwyn fel 'ny – yn debyg i bobol, a gweud y gwir – yn hollol ddiniwed nes cael eu cymysgu â rhywrai eraill. Wedyn y byddai pethau'n mynd o chwith. Edrychodd ar y botel a'r copa melyn fel gwallt. Cymysgodd y powdwr heb anadlu, fel petai'n cymysgu grefi; gosododd y gwenwyn yn ei le a chau'r botel. Rhoddodd hi yn ei phoced a sychu'r ford â chlwtyn cyn ei daflu yn y bin sbwriel.

Mae'r ffaith iddi ddarganfod gwenwyn yno yn symbolaidd o'r modd y bydd gwasgfa cynnal y lle yn gwenwyno eu bywydau ac yn wir yn arwain at eu marwolaeth.

Rwy'n sylwi eich bod chi'n defnyddio'r cŵn yn y nofel i ddweud rhywbeth wrthon ni am gymeriad eu meistri.

Dyma'r *familiars*, sef ci Jac a chi Sianco – Bob a Roy. Rwy wedi rhoi nodweddion i'r ci sy'n perthyn i'r meistr. Mae Jac yn gallu bod yn gas i Roy. Mae Roy yn ufudd i Jac ac mae perthynas rhyngddo a'i feistr. Mae Sianco a Bob yn ddau tebyg, a Bob y terier fel tegan i Sianco – 'ei derier yn edrych allan o dan ei siwmper a'i lygaid bach duon wedi eu serio ar y fuwch'. Dyw Bob ddim yn hiraethu ar ôl ei feistr – chwarae diniwed fu byd y ddau. Heblaw eich bod chi wedi creu perthynas ag anifail dyw e ddim yn rhan o'ch bywyd. Mae Roy wedi creu perthynas gyda Jac, wedi gweithio'n galed, fel ei feistr. Dyw ci Sianco ddim wedi gweithio – dim ond chwarae heb greu perthynas. Mae enghreifftiau o *familiars* yn Hardy ac yn Macbeth (y gwrachod a'r cathod).

I ddod yn ôl at y symbolau – oes yna symbolau eraill yn y nofel?

Mae'r dderwen yn symbol. Roeddwn i eisiau iddi fod yn symbol o gryfder ac mae'r dderwen falle yn agosáu at Martha yn y diwedd – breichiau noeth y dderwen a'r dail wedi cronni yn ei gwaelod fel dagrau. Mae baban wedi'i gladdu o dan y dderwen. Mae'r dderwen wedi plygu oherwydd y gwynt yn symbol o ddioddefaint a'r modd mae bywyd yn ein crymu a'n mowldio ni.

Defnyddiais y fodrwy a'r gwn nos gwyn i gyfleu rhyw fath o briodas rhwng Martha a'r fferm – ei ffyddlondeb hi i'r lle.

Mae'r brain yn symbolau. Does dim gobaith i'r cymeriadau – ac mae'r brain yn symbol o'u tynged.

Fyddwch chi'n creu adeiladwaith pendant i bob pennod?

Fe fydda i'n ceisio saernïo pennod fel uned. Rwy'n rhoi teimlad i mewn ym mhob pennod. Weithiau mae brawddeg unigol yn gallu siarad cyfrolau – gobeithio! I fi mae'r cwestiwn, 'Pryd fyddan nhw'n dod lan?' yn bwysig am y bobl sy wedi eu claddu am fod Sianco yn ei ddiniweidrwydd yn meddwl eu bod nhw'n mynd i dyfu eto fel blodau.

Beth am y themâu eraill yn y nofel?

Un o'r pethau sy wastad wedi fy niddori yw'r holl bosibiliadau sy mewn dyn a'r hiraeth am fywyd y medrai person fod wedi ei fyw. Bob dydd rydyn ni'n gwneud penderfyniadau a allai ein tywys ar fil o lwybrau. Ac mae'r hiraeth yma am beth a allai fod. Bywyd heb ei fyw, posibiliadau heb eu cyflawni. Mae hyn yn wir am Martha, ac mae'n wir am Jac – fe allai Jac fod wedi bod gyda Gwen. Dyna Sianco wedyn – beth allai e fod wedi bod petai dim nam arno? Mae golygfa'r piano yn symbol o'r dyhead yma. Mae'r piano i fi yn symbol o'r ramantiaeth sy ynon ni i gyd i gyrraedd at bethau uwch, rhywbeth gwell na dim ond byw o ddydd i ddydd. Mae angen hyn arnon ni. Mae'r ffaith bod y tŷ yn lladd y piano, yr halen a'r lleithder yn y waliau yn dinistrio'r piano, yn symbol o amgylchiadau yn llethu'r dyhead yma.

Fel pryfyn mewn ambr, goleuwyd hi. Gwelwyd prydferthwch y sglein ar ei chroen, taflwyd meddalwch dros ei hwyneb a datguddiwyd dyfnder newydd yn ei llygaid duon. Amlygodd y golau liwiau gwahanol yn ei gwallt tywyll ac roedd hi, am eiliad, yn edrych fel doli. Dyna beth oedd Dat yn ei galw hi – ac ar y soffa binc, yn y parlwr gole melyn, roedd hi'n hawdd gweld pam. Roedd llonyddwch y stafell yn llethol, ond roedd Martha'n mwynhau'r tawelwch ar ôl cryfder yr haul. Wrth i'r golau wanhau, amlygwyd dyfnder lliwiau a siapiau na welodd Martha eu tebyg erioed o'r blaen. Roedd y piano'n sgleinio fel eboni, a rhyw wrid coch yn y pren yng nghanol y tywyllwch. Syllodd Martha arno a'i llygaid yn llaith.

Doedd hi ddim eto wedi chwarae'r piano. Doedd hi ddim hyd yn oed wedi gwasgu nodyn i lawr, dim ond ei gyffwrdd wrth ei lanhau, ac fe fyddai hi'n gwneud hynny bob wythnos fel pader. Doedd hi ddim yn deall y peth, meddyliodd, felly doedd ganddi mo'r hawl. Byddai hi'n tynnu'r llyfrau miwsig mas o'r stôl biano weithiau ac yn edrych ar y darnau o gerddoriaeth. Roedd y nodau bach yn edrych fel brain yn eistedd ar linellau trydan, neu fel rhesi o glymau ar weiren bigog. Rhedai ei bys o gwmpas y trebl cleff gan anwesu'r siâp troellog â'i llygaid. Byddai hi'n cloi caead y piano, rhag ofan i Sianco ymhél ag e. Gallai hi fod yn sicr nad oedd dim diddordeb gan Jac – ond Sianco, wel roedd hynny'n fater gwahanol.

Edrychodd Martha ar y man ar y carped lle bu hi'n sgwrio te Gwynfor ar ôl iddo ei sarnu. Roedd hi wedi llwyddo'n dda i gael gwared ar y staen. Meddyliodd am ôl ei draed ym mhridd yr ardd. Rhoddodd y cwpan i lawr wrth ei hochor a rhoi ei llaw i mewn ym mhoced ei brat lle byddai'n cario allwedd y piano bob amser. Teimlodd haearn prydferth, cain yr allwedd dan ei bysedd trwm.

Cododd, gan deimlo holl brysurdeb y dydd yn ei chefn a cherdded at y piano. Roedd yr haul yn isel erbyn hyn – roedd hi'n syndod pa mor gyflym roedd y golau'n diflannu unwaith y dechreuai fachlud. Fe deimlodd ddefnydd melfed pinc y stôl biano â'i bysedd cyn eistedd i lawr arni. Roedd dwy fraich denau ddelicet ar y ffr amyn yn gwasgu'i chorff i mewn yn gyfforddus. Cydiodd yn yr allwedd ffansi a'i gwthio i mewn i'r clo. Troiodd yr allwedd a'r clo'n clicio'n ddiolchgar fel petai wedi cael rhyddhad. Tynnodd Martha anadl hir cyn codi'r caead yn ara. Roedd ei dwylo'n crynu. Gwenodd y piano arni gan ddangos ei holl ddewisiadau a'r posibiliadau o fewn y nodau du a gwyn. Cynigodd y cyfan iddi gan wenu'n dawel a theimlai Martha eu bysedd yn cael eu denu tuag at y nodau. Cyffyrddodd ei bys yn dawel â'r ifori a theimlai lyfnder ac oerfel y deunydd a'i holl addewid. Caeodd Martha ei llygaid a gwasgu'r nodyn. Neidiodd wrth i'r sain ddisodli tawelwch y stafell. Sain hyll, anghywir. Edrychodd Martha ar y piano mewn sioc. Roedd hi'n siŵr nad sŵn fel'na ddylai'r nodyn ei greu. Roedd e'n anniben, yn salw ac yn gras fel crawc brân. Dechreuodd Martha lefen. Daeth y dagrau'n un llif, fel melodi diderfyn. Tasgai'r dagrau i lawr mewn rhythm cyson, gan ddiferu'n gynnes ar yr ifori oer.

Oherwydd anwybodaeth Martha, roedd hi wedi gosod y piano yn erbyn wal y lleithdy lle bu'r teulu'n halltu moch ers degawde. Bu'r halen a'r lleithder yn y wal yn treiddio i mewn i gefn y piano ers misoedd ac, yn dawel bach, roedd ei berfedd wedi chwyddo a'r sain wedi'i sarnu. Roedd y tŷ wedi lladd y piano.

Roedd y golau'n pylu wrth i Martha arllwys dagrau hallt uwchben y piano, a'r sain hyll a greodd yn atseinio trwy ffenestr y parlwr a mas i'r ardd. Roedd y golau ambr, a oedd wedi'i hamgylchynu, yn llawn cynhesrwydd nes iddo ei gollwng yn y tywyllwch, ar ei phen ei hun.

Rwy wedi defnyddio geiriau sy'n cyfleu gobaith a llawenydd bywyd yn y rhan gyntaf – y breuddwyd sy gyda ni i gyd am rywbeth gwell. Yna ar ddiwedd yr olygfa mae geiriau sy'n cyfleu siom, tristwch ac anobaith a'r llinell 'Roedd y tŷ wedi lladd y piano' yn dweud y cwbl sef bod y sefyllfa gaeth a'i chyfrifoldebau yn lladd ac yn difetha bywyd Martha. Roedd y piano yn symbol o'r bywyd y medrai hi fod wedi ei gael gyda Gwynfor – oni bai bod amgylchiadau wedi ei llethu a gwneud iddi ddewis cilio yn ôl o'i pherthynas hi â Gwynfor.

Thema arall yw gormes neu gaethiwed amgylchiadau. Mae adar yn symbol o ryddid. Mae yna bennill pert –

Gwyn eu byd yr adar gwylltion
Hwy gânt fynd i'r fan a fynnon

Mae Martha yn gaeth i'w hamgylchiadau ac eisiau hedeg yn rhydd fel yr adar diofal – *'Diofal yw'r aderyn'*. Mae adar yn trydar llawer ac felly mae dyn gyda'i holl sŵn, ond megis yr adar, rydyn ni'n diflannu oddi ar wyneb y ddaear fel pe na baen ni wedi bod erioed.

Detholiad o waith Caryl Lewis

Detholiad o waith Caryl Lewis

Martha Jac a Sianco

Roedd hi'n anodd cael y papur i gynnu. Taflodd Martha ragor o ddisel coch o'r botel Lucozade yn ei llaw ar y tân. Roedd y borfa o dan y tân yn wlyb a'r fflame felly'n araf yn cydio. Llenwodd yr awyr â mwg du gan gydio yng nghefn ei gwddwg.

"Dere mlan, Sianco bach. Dere â phopeth mas i ni ga'l gwared â pheth o'r cawdel 'ma."

Roedd pen Sianco wedi'i guddio o dan lwyth o focsys cardbord.

"Ych, yndos hen rybish yn casglu yn y tŷ ar ôl Dolig," sibrydodd Martha.

Dechreuodd fflamau'r tân neidio'n uwch wrth i Sianco ychwanegu mwy o bapurach o'r tŷ. Sefodd y ddau'n gwylio'r tân. Roedd ochre'r papure'n cwrlo'n ara a'r dalennau'n dduon fel adenydd brân. Sefai darnau o fflwcs du yn yr awyr fel petai hi'n bwrw eira du. Rhwbiodd Sianco'r rhai a ddisgynnai ar ei wyneb gan bardduo'i fochau. Daeth Jac o rywle.

"Be chi'n neud?"

Aeth Sianco'n ôl i'r tŷ i nôl llwyth arall.

"Glanhau tamed bach 'ma. Ma ise ca'l gwared ar rhein yn druenus. Shwt alla i neud y lle'n dwt 'da'r holl rybish 'ma ambwti'r lle?"

"Wel, fe fwrith hi yn y man a bydd hi'n lleitho. Wedyn bydd blydi rhacs a rybish 'da ni ar waelod yr ardd am hydodd."

Plygodd Jac a chynnu ffag oddi ar y fflame. Sefodd yno am sbel gan edrych i ddyfnderoedd y tân. Roedd ei anfodlonrwydd i godi yn ymwneud yn rhannol â'r ffaith bod y gwres yn braf ar ei wyneb ac yn rhannol oherwydd bod ei gefen e'n gwynio.

"Be sda chi fan hyn, eniwe?"

"Rhyw hen bethe."

"Dim byd pwysig, gobeitho."

Wel, sdim hen ewyllys i ga'l 'na, Jac, os mai 'na be sy'n eich poeni chi."

Edrychodd Jac arni'n syn.

"A sôn am rybish, odi hi'n dod draw heno 'to te?" holodd Martha.

"O, byddwch ddistaw, newch chi? Ma rhyw rem, rem 'da chi ambwti honna o hyd."

"Dim ond gofyn."

Cododd Jac yn araf gan dynnu ar ei sigarét. "Wel, pe baech chi'n holi fwy am Gwynfor nag am Judy, byddech chi'n neud peth callach."

"Beth chi'n feddwl?"

"Wedi clywed bod e'n cadw cwmni newydd 'na i gyd. Rhywun lot ifancach 'fyd."

Edrychodd Martha ar y tân. Roedd hi'n falch bod gwres y fflame wedi gwneud ei bochau hi'n goch yn barod. Astudiodd Jac ei gwyneb.

"Chi'n mynd i golli'ch cyfle fyn'na, Martha. Ma'n siŵr bod digon o fenywod ar 'i ôl e. Dwi'n gweud 'tho chi. Ma pen draw i amynedd pawb."

Roedd wyneb Jac fel amlen yn agor. Gwyliodd Martha'r fflame ar ei wyneb yn ole coch.

"Sdim byd i ga'l ma, Martha. Ma pethe wedi bennu. 'Yn ni i gyd wedi bennu."

"Peidwch siarad fel'na, Jac. 'Ych chi ddim yn gwbod y cwbwl, ch'ymod," sibrydodd Martha gan gydio mewn brigyn i wthio papurau'n ôl i mewn i ganol y tân.

"Beth sy i wbod? Dim ond un peth. Sdim rhaid i chi aros 'ma rhagor. Gallwch chi fynd."

"Er mwyn i chi ga'l y cwbwl, ife, Jac? Ar ôl yr holl flynydde 'ma o weitho a stablan yn y pwdel, 'na beth dwi'n ga'l, ife? Gwdbei!"

Roedd gwynebau'r ddau o fewn modfeddi i'w gilydd. Doedd dim stop ar Martha.

"I chi ga'l y cwbwl a symud y rhacs 'na i mewn, iddyn nhw ga'l gwario arian Mami a Dat, ife? Ma pob un sy'n gorwedd yn y fynwent 'na wedi ymladd, wedi plygu'i gefen fel cryman i ni ga'l beth sydd 'da ni heddi, a 'na beth chi'n mynd i neud â fe, ife?"

Roedd dwylo Martha'n crynu wrth ddal y brigyn a Jac wedi gadael i'w ffag gwmpo i'r llawr.

"Martha, gwrandwch newch chi? 'Se Mami wedi gadel y cwbwl i fi, fel dyle hi 'di neud, fyddech chi'n rhydd i fynd, eniwe."

"Ond dim 'na beth nath hi, ife? A beth am Sianco? Dych chi byth yn meddwl amdano fe, ydych chi?"

"Martha, ma fe'n rong achan," gwaeddodd Jac gan fwrw ochr ei ben â'i fys. Edrychodd Martha arno a thawelodd Jac gan edrych yn ôl i mewn i'r fflame.

"Chi'n gwbod fel ma Sianco, a dwi 'di bod yn ei gario fe ers blynydde." Gwrandawodd y ddau ar y papur yn llosgi. "Nath yr hen bitsh 'yn bennu ni i gyd."

"Paid byth â..."

"Clymodd hi'n penne ni i gyd yn sownd wrth y lle ma, Martha. O'dd hi'n gwbod yn iawn beth o'dd hi'n neud! Bydde Dat wedi troi yn ei fedd."

"Peth od boch chi'n cofio'u bod nhw wedi marw! Chi byth yn siarad amdanyn nhw!"

"I beth? Beth chi ise fi weud? Beth chi ise fi neud? Mynd i weld 'u bedde nhw? Esgus 'mod i'n galaru ar ôl y diawled?"

Doedd Martha ddim yn gwrando.

"O'dd Mami'n gwbod beth o'dd hi'n neud..." rhesymodd Martha, "o'dd hi'n gwbod wedyn mai'r un mwya cîn fydde'n ca'l y cwbwl."

"Yr un twpaf, chi'n feddwl. Yr un sy'n ddigon twp i weitho fel ci ac aros 'ma hyd y diwedd."

"Wel, pam nad ewch chi te, Jac?"

"A pham nad ewch chi de, Martha?"

Edrychodd y ddau ar ei gilydd â'r mwg yn eu hamgylchynu. Roedd dwylo Jac yn crynu a'i galon yn curo'n boenus yn ei frest. Câi hi'n anodd tynnu anadl. Roedd y mwg yn llosgi'i ysgyfaint a daeth yr hen boen yn ôl i'w galon.

"Ma 'da chi gyfle, Martha. Cerwch o ma. Ma hi'n rhy hwyr i fi. Alla i ddim ca'l beth allwch chi ga'l."

"A beth yw hwnnw, Jac?"

Hyrddiodd y gwynt y fflamau gan gochi'r tân. Roedd rheini'n uchel erbyn hyn a darnau porpoeth gloyw o bapur yn hedfan i'r coed o gwmpas yr ardd. Roedd y brigau'n denau fel gwythiennau mewn brych. Sylwodd Martha fod Jac yn gorfod ymdrechu cael ei wynt.

"Dwi'n gwbod bod rhywbeth yn dala chi 'ma, Martha, dwi'n gwbod 'ny."

Edrychodd Martha i'w lygaid. Doedd Martha ddim yn siŵr ond roedd ei wyneb yn feddalach a'i lygaid yn ddyfnach. Edrychodd arno am amser hir. Efallai mai golau'r tân oedd yn effeithio ar ei wyneb, efallai bod y mwg yn creu golau meddal.

"Sa i'n gwbod beth chi'n siarad ambwti, Jac," meddai Martha gan

ganolbwyntio'i sylw ar y brigyn yn ei llaw.

"Rwyt *ti yn* gwbod."

Teimlodd Martha holl fygythiad y '*ti*' ym mêr ei hesgyrn. Stopiodd symud ac arhosodd fel petai hi wedi ei rhewi yng ngwres y fflame. Roedd ei llygaid yn gwibio'n ôl ac ymlaen rhwng y tân a llygaid Jac.

"Chewch *chi* mo 'ngwared i mor hawdd â 'na, Jac."

Pwysleisiodd Martha'r '*chi*'. Aeth y gwres yn ormod i Jac ac edrychodd ar Martha'n wyllt. "Na fe, chi wedi ca'l ych cyfle, nethoch chi ddim 'i gymryd e. Peidwch â disgwl i bethe fod yn hawdd ambwti'r lle 'ma o nawr mlan."

Poerodd Jac i mewn i'r tân a diflannodd y tynerwch o'i wyneb. Caeodd ei lygaid unwaith eto. Taflodd Martha'r brigyn i galon y fflamau. Herciodd Jac i ffwrdd. Sylwodd Martha fod Sianco wedi bod yn gwylio o du ôl y llwyn rhododendron a'r eira du yn cwmpo o'i gwmpas. Roedd llwyth o focsys wedi'u gwasgaru wrth ei draed a'r dagre wedi creu llwybrau clir drwy'r parddu ar ei wyneb. Edrychodd Martha arno a gwrando ar dap tapian y brigyn yn llosgi'n ara bach. Dechreuodd fwrw.

Martha Jac a Sianco
– *ymateb i'r detholiad*

- ***Pa themâu sydd yn y detholiad hwn? Nodwch nhw gan roi dyfyniadau byr i esbonio sut mae Caryl Lewis yn trafod y themâu.***

- ***Sut mae Caryl Lewis yn darlunio'r cymeriadau?***

- ***Trafodwch iaith y dialog.***

- ***Trafodwch arddull ac adeiladwaith y darnau disgrifiadol ac yn arbennig y paragraff olaf gan roi sylw i gyffelybiaethau, trosiadau, symbolaeth, brawddegu ac unrhyw nodweddion eraill.***

- ***Sut mae Caryl Lewis yn gwau'r cefndir i mewn i'r cyfan?***

Llyfryddiaeth

Dal Hi!
Martha Jac a Sianco
Y Gemydd (2007)

Mihangel Morgan

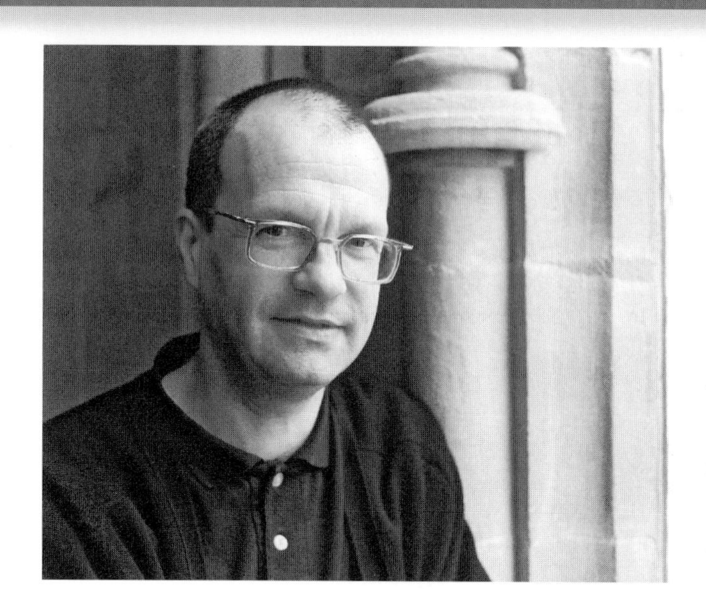

Cafodd Mihangel Morgan ei eni yn Aberdâr ym Morgannwg ac mae bellach yn byw ym mhentref Tal-y-bont ac yn darlithio yn yr Adran Gymraeg, Prifysgol Cymru Aberystwyth. Mae ei ddiddordeb academaidd mewn llenyddiaeth ddiweddar ac ysgrifennu creadigol. Wedi ei hyfforddi fel ceinlythrennydd, bu'n dysgu'r grefft i fyfyrwyr yng Nghymru a Lloegr am flynyddoedd cyn gwneud gradd yn y Gymraeg ym Mhrifysgol Aberystwyth.

Yn ogystal â thair cyfrol o farddoniaeth, mae wedi cyhoeddi chwe nofel, a phum cyfrol o storïau byrion. Enillodd ei nofel gyntaf, *Dirgel Ddyn*, y Fedal Ryddiaith yn Eisteddfod Genedlaethol 1993. Mae ei nofel *Dan Gadarn Goncrit* ar y Maes Llafur Safon A Cymraeg, ac ef yw un o'n hawduron cyfoes mwyaf cynhyrchiol a diddorol. "Mae'n awdur sy'n mwynhau chwarae triciau a throi ei storïau wyneb i waered. Mae hiwmor a rhyw ddiniweidrwydd yn ei gymeriadau a'i storïau ond pynciau tywyll a dychrynllyd sydd dan yr wyneb yn aml."

Ei nofel ddiweddaraf yw *Cestyll yn y Cymylau*.

Ymysg ei hoff awduron mae Jose Saramago, Italo Calvino, Kafka, Proust, Wiliam Owen Roberts ac Owen Martell.

Cyflwyniad i waith Mihangel Morgan

Ôl-foderniaeth

Mae'r gair 'ôl-foderniaeth' yn cwmpasu llawer iawn o bethau, a dyna'r broblem gyda'r gair, sef nad yw'r gair 'ôl-foderniaeth' yn rhoi dosbarthiad digon clir o nodweddion mewn celfyddyd i fod yn ystyrlon.

Wrth gwrs bu llawer o arbrofi ym myd y nofel cyn i neb feddwl am ôl-foderniaeth – gweithiau arbrofol gan awduron megis Franz Kafka a Knut Hamsun, a hyd yn oed *Tristram Shandy* gan Laurence Sterne.

Efallai mai'r ffordd orau o edrych ar ôl-foderniaeth yw ceisio edrych ar rai o'r elfennau y mae'n bosibl eu galw'n 'ôl-fodern'.

Gwrthod y dull realaidd o ddarlunio dyn a'r byd

Yn ôl Nietzsche, 'Does dim ffeithiau – dim ond dehongliadau', ac meddai Flaubert, 'Does dim gwirionedd – dim ond gwahanol ffyrdd o edrych ar bethau'. Roedd y ffordd draddodiadol o edrych ar y nofel yn ystyried bod llenyddiaeth yn gynnyrch meddwl yr awdur ac mai'r llais naratif oedd llais yr awdur yn y nofel. Mewn geiriau eraill, yr awdur oedd yr 'awdurdod', a phan fydden ni'n darllen fe ddylen ni bob amser gael ein harwain gan lais awdurdodol yr awdur. Ond i'r ôl-fodernwyr mae'r dehongliadau o destun yn gallu bod yn wahanol – yn wir yn ddiddiwedd. Does dim un gwirionedd neu ddarlleniad awdurdodol. Nid yn llais yr awdur y mae'r awdurdod bellach ond yn y testun ei hun a'r berthynas rhwng y testun a'r darllenydd. Byddai'r ôl-fodernwyr yn dadlau bod gymaint o wahanol ffurfiau ar realiti ag sydd o ddarllenwyr.

Yn ôl JG Ballard, 'Dyw realaeth ddim yn addas i'r nofel rhagor. Fedr y nofel ddim cystadlu â'r sinema a'r teledu wrth greu darlun ffeithiol o'r byd. Mae'r nofel ar ei gorau pan fydd hi'n creu byd newydd."

Gwrthod y syniad bod yna'r fath beth â chymeriad neu ego unedig y gellir ei ddisgrifio yn y dull realaidd

Mae'r ôl-fodernwyr yn ystyried bod y syniad o hunan, neu ego unigol yn ffals ac yn greadigaeth gymdeithasol, ac felly rhaid i ni ddangos agweddau gwahanol ar yr un cymeriad. Yng ngwaith Virginia Woolf, *Y Tonnau*, mae un o'r cymeriadau'n dweud "nid un a syml ydw i, ond llawer a chymhleth". "Rwy'n fwy o hunanau nag mae Neville yn feddwl" ac mae'r cymeriad yn holi'n gyson, "Pwy ydw i?".

Mae'r nofelydd ôl-fodern yn hoff o ddangos mai cymhleth ac amlochrog yw natur dyn. Yn *Y Castell* gan Kafka mae'r prif gymeriad yn ymddangos yn wahanol i bawb sy'n ei weld a bob tro y gwelir ef.

Un ffordd y mae'r nofelydd ôl-fodern yn ei ddefnyddio i ddangos natur ranedig cymeriad pob un ohonon ni yw rhoi agwedd ar brif gymeriad y nofel ar ffurf cymeriad arall. Tu ôl i'r syniad o ddefnyddio dwbwl/cysgod mewn nofel mae dymuniad y nofelydd ôl-fodern i danseilio'r syniad bod yr ego neu 'Fi' canolog yn rhywbeth unedig rhesymegol. Mae'n debyg mai'r cyntaf i wneud hyn oedd RL Stevenson yn *Dr Jekyll a Mr Hyde.*

Mae'r cymeriad Melog, yn *Melog* gan Mihangel Morgan, yn ymddangos fel petai'n cynrychioli agwedd ar gymeriad yr awdur/prif gymeriad – rhyw fath o ddwbwl neu gysgod. Gall y dwbwl fod yn gythreulig megis Mr Hyde neu gall fod yn fath o *trickster* neu gymeriad chwareus sy'n peryglu trefn a normalrwydd. Mae Melog fel petai'n cynrychioli'r grym sy'n anwybyddu pob confensiwn a chaethiwed cymdeithasol.

Dyma fel mae Melog, y dwbwl neu gysgod yn y nofel, yn disgrifio'i hun:

> Yn ei gartref mentrodd Dr Jones ofyn mwy o gwestiynau i'r bachgen gan obeithio dod i'w nabod yn well a dysgu mwy am ei hanes.
>
> O ble wyt ti'n dod? Ti ddim yn dod o Gymru, er dy fod ti'n siarad Cymraeg yn dda iawn, os ca i ddweud hynny heb swnio'n nawddoglyd.
>
> Mae'r acen yn fy mradychu i, on'd yw hi? Dwi'n siarad ieithoedd eraill; Lacsariaeg, Sacriaeg, Saesneg.
>
> Ar wahân i'r Saesneg dwi ddim yn credu 'mod i erioed wedi clywed am yr ieithoedd 'na.
>
> Lacsariaeg yw iaith Lacsaria, fy nhadiaith, meddai Melog gan orwedd ar y soffa-liwiau-pen-tost, ond ychydig o bobl sy'n ei siarad nawr. Mae Lacsaria wedi caei ei goresgyn gan Sacria a'r iaith wedi cael ei gwahardd yn ei gwlad ei hun. Bu'n rhaid i mi ddysgu Sacriaeg yn yr ysgol.
>
> Ble mae Lacsaria a Sacria?
>
> Pwy a ŵyr? Pwy a ŵyr ble mae unrhyw le? meddai Melog, yn eistedd ar y soffa nawr, ei ddwy fraich hir ar led, wedi eu hestyn fel adenydd ar hyd cefn y celficyn.
>
> Felly, mae Sacria a Lacsaria yn wledydd anghysbell, meddai'r doctor.
>
> Anghysbell?
>
> Pell i ffwrdd. Diarffordd.
>
> Mae pob lle'n ddiarffordd o rywle, meddai Melog yn ddiamynedd ac yn gorwedd eto a la Chatterton, mae pob lle oddi ar ryw ffordd! Nid Prydain yw canolbwynt y byd, yn sicr, nid Cymru yw e chwaith, na Llundain, nac Efrog Newydd, na Tôciô, na Paris, na Berlin, na Hong Kong...

Gosod yr awdur ei hun yn y nofel fel cymeriad

Pwysleisio mai ffuglen yw'r stori a wna Mihangel Morgan wrth roi'r awdur ei hun yn y stori yn *Y Chwilen*:

> Aeth i gaffe bach cyfagos i gael coffi cyn iddo feddwl am fynd tua thre. Roedd y lle bach yn brysur a bu'n rhaid iddo rannu bord gyda dyn byr, tenau â barf gwta, drionglog, ei wallt yn teneuo, sbectol gron ar ei drwyn...
> Yn sydyn cafodd Vic y teimlad fod y dyn hwn yn gwybod cyfrinach y Chwilen o ddyn, a'i fod yn ysgrifennu amdano yn y llyfryn y funud honno...
> Achubodd Vic ar y cyfle i edrych ar y llyfr a adawsai'r dyn yn agored ar y ford... Hwn, felly, meddyliodd Vic oedd yr awdur a'r unig ffordd i ddrysu ei gynlluniau ar ei gyfer oedd trwy adael y caffe.

Yn y nofel *Un Peth 'Di Priodi Peth Arall 'Di Byw* mae'r awdur Dafydd Huws yn gosod ei hun yn y nofel ar ffurf cymeriad y Lone Ranger.

Y 'cymeriad a ddilëir' yn y nofel ôl-fodern

Yn y nofel ôl-fodern fe geir weithiau'r 'cymeriad a ddilëir'. Mae'r awdur yn ei gyflwyno i ni ac yn gwneud i ni ei dderbyn fel cymeriad go iawn ac yna mae'n cael ei ddileu. Bwriad dileu'r cymeriad yw pwysleisio mai creadigaeth fwriadol yr awdur yw'r cymeriad ac nad oes iddo fodolaeth ond ar dudalennau'r nofel. Enghraifft o hyn yw'r cymeriad Melog yn *Melog* gan Mihangel Morgan:

> Yna, modfedd o newyddion ymhlith y pytiau bach; daethpwyd o hyd i ddyn ifanc ger Frankfurtan-der-Oder, yn yr Almaen, yn crwydro'r strydoedd yn noethlymun heb syniad sut y daethai yno. Bu farw mewn ysbyty yn ddiweddarach. Dywedodd ei fod yn dod o Laxaria yn Sakria, ond – yn ôl y gohebydd – nid yw'r llefydd hyn yn bod.

Gwelir yr un nodwedd wrth i'r cymeriadau yn y stori *Câr dy Gymydog* gan Mihangel Morgan ddweud:

> Pan luchiodd y traethawd i'r môr dadsaethwyd pawb.

Mae'r frawddeg olaf yn atgoffa'r darllenydd mai ffug yw ffuglen ac mai dim ond stori sydd yma.

Torri'r bedwaredd wal/Datgelu mai ffug yw'r profiad – Metaffuglen

'Metaffuglen' yw ffuglen sy'n arbrofi gyda'r nofel ei hun ac yn tynnu sylw at hynny. Aeth yn ffasiwn ymysg ôl-fodernwyr i ddatgelu mai ffug yw'r cymeriadau a'r byd a grëwyd gan yr awdur. Does dim byd yn newydd yn hyn. Roedd Shakespeare ar ddiwedd *Prospero* yn cael ei gymeriad i gyfarch y gynulleidfa a dweud wrthyn nhw am ei gymeradwyo er mwyn ei helpu i hwylio adre, ac yn yr hen Anterliwtiau roedd yn ddefod cyfarch y gynulleidfa ar ddechrau'r chwarae. Gair a ddefnyddir am ffuglen sy'n datgelu taw ffug ydyw yw 'Metaffuglen'. Metaffuglen yw nofel neu stori sy'n fwriadol yn tynnu sylw at y ffaith mai ffug ydyw er mwyn gwneud i ni holi ein hunain beth sy'n ffug a beth sy'n real.

Gellir cael nofel am berson yn ysgrifennu nofel; nofel am berson yn darllen nofel; nofel lle mae'r awdur ei hun yn gymeriad yn y stori; cymeriadau sy'n dangos eu bod nhw'n sylweddoli eu bod nhw mewn creadigaeth ffug. Enw arall ar hyn yw 'torri'r bedwaredd wal', neu 'Metagyfeirio', sef cymeriadau'n dangos eu bod nhw'n ymwybodol eu bod nhw mewn drama/nofel. Efallai mai'r enghraifft gynharaf o Metagyfeirio yw *Ail Ran Don Quixote*. Roedd awdur arall wedi dwyn syniadau Cervantes a chyhoeddi *Rhan Dau* i'r gwaith nad oedd yn waith Cervantes. Mae Cervantes yn ei *Ail Ran* ef yn cyfeirio at hynny, ac yn cael ei gymeriadau ef i herwgipio cymeriad o'r llyfr nad oedd yn eiddo iddo ef!

Dyma Dafydd Huws yn *Un Peth 'Di Priodi, Peth Arall 'Di Byw* yn ein hatgoffa mai darllen nofel yr ydyn ni drwy gael tad-yng-nghyfraith y prif gymeriad i drafod rhywbeth sydd newydd ddigwydd yn y nofel!

> 'Mae'r ddwy stori hyn yn dangos cymhlethdod erledigeth go arw,' mo. 'Chi'n uniaethu gyda chyflwr y genedl. Chi'n gaeth. Chi dan warchae. Chi'n cael ych sarhau. Chi ar ffo. Chi'n cael ych erlid am ych daliade. Chi yw Cymru Sydd!'
>
> Ma 'na rei gwell na'r boi yma yn seilam, dwi'n deud wrthach chi!
>
> 'Glywsoch chi be nath Twm Talsarn i mi?' me fi i drïo cael ei draed o'n-dôl ar y ddaear.
>
> 'Do achan! Ma 'da chi ddychymyg rhyfeddol!'
>
> 'Dychymyg o ddiawl!' medda fi. 'Fedra i ddim dychmygu dim byd mwy uffernol!'
>
> 'Reit, af i 'te,' medda Siân. 'Ne fydda i'n hwyr i'r Grŵp Heddwch...'
>
> 'Cofia fi atyn nhw!' me fi.
>
> A dyna lle ro'n i, ar ben yn hun bach, efo'r mwydryn yma!
>
> 'Mae'r Gymdeithas yn hoff iawn o'ch defnydd chi o Howells Department Store fel symbol,' mo. 'Am unweth yn ych bywyd chi wedi curo'r system. Chi sy'n byw ar eu cefne nhw! 'Na beth sda chi, yndefe?'
>
> 'Ia, ia,' me fi. Rwbath i gau'i geg o.

Nofel am berson yn ysgrifennu nofel yw *Llosgi* Robat Gruffydd. Mae'r prif gymeriad yn ysgrifennu'r nofel ar gyfrifiadur ac yn cael ei dalu am wneud. Dyma eto enghraifft o bwysleisio mai ffuglen sydd yma.

Rhwydd Hynt i'r Dychymyg/Ffantasi

Nodwedd arall yw gadael i'r dychymyg gael rhwydd hynt i greu cymeriadau a lleoliadau a bydoedd gwahanol yn null chwedloniaeth a ffuglen wyddonias. Mae Ffantasi yn defnyddio hud a lledrith a'r goruwchnaturiol fel rhan hanfodol o'r plot, thema a lleoliad. Bu ffantasi yn boblogaidd iawn ar ddiwedd y ganrif ddiwethaf gan fenthyg yn helaeth o fyd myth, epig a rhamantiaeth ganoloesol.

Gall y stori gael ei lleoli mewn byd ffantasi sy'n hollol wahanol i'n byd ni, gyda deddfau natur gwahanol sy'n caniatáu i bob math o bethau rhyfedd ddigwydd megis pobl yn hedfan ac yn y blaen. Mae *Anturiaethau Alice yng Ngwlad Hud* yn dangos nad yw hyn yn newydd. Yr enwocaf o'r gweithiau ffantasi cyfoes yw nofelau JK Rawlings a Tolkien.

Cyfuno Realaeth a Ffantasi

Yn y math yma o nofel fe grëir lleoliadau a chymeriadau sy'n realaidd ac fe roddir elfennau o'r goruwchnaturiol a'r cyfriniol yn y nofel. Stori felly yw stori Robin Llywelyn wrth iddo osod Armadilo sy'n siarad mewn lleoliad realaidd.

> *Reptiles Welcome* meddai'r arwydd ac mi es innau i mewn. 'Su'mai con,' meddai'r boi tu ôl y ddesg, 'isio rhywbeth wyt ti?'
>
> 'Pam dydi'r arwydd tu allan ddim yn Gymraeg?' holais innau.
>
> 'O, wela'i,' meddai'r dyn. 'Un o'r rheini wyt ti, ti 'ia? Blydi Welsh Nash. Dwi'm isio dy deip di yma. Eniwê, be ydi reptile yn Gymraeg?'
>
> 'Ymlusgiad ydi'r gair swyddogol,' eglurais innau. 'Ond tydi o'm yn air da. Mae'n well gennyf i gael fy nghyfeirio ataf fel "anifail ymlusgo", mae o'n fwy gwleidyddol gywir ac yn swnio'n well.'
>
> 'Chdi â dy Gymraeg mawr,' meddai'r boi tu ôl y ddesg. 'Sudd oren a chreision fyddi di isio nesa, mwn. Blydi crancs. Sut fath o "anifail sy'n ymlusgo" wyt ti beth bynnag?'
>
> 'O, armadilo,' meddwn innau gan gochi'n fflam goch achos roeddwn i wedi anghofio fy nghyflwyno fy hun. Roeddwn i wedi dysgu ei bod hi'n hanfodol dy gyflwyno dy hun i bobol a dyma finnau rŵan wedi anghofio gwneud. Roeddwn i'n

swil, toeddwn, ac yn ffwndrus achos dyma'r tro cynta imi fod mewn gwesty ac roedd pob dim yn newydd imi 'toedd? Roeddwn i ofn gwneud rhywbeth yn rong mewn lle crand, yn enwedig tro cynta achos fasat ti ddim isio dangos dy hun yn wirion o flaen pobol ddiarth nafsat? Toedd hwn ddim yn lle crand felly erbyn dallt ond wyddwn i mo hynny ar y pryd.
'Tydi ffycin armadilo ddim yn repteil,' meddai'r boi.
'Pardon?' meddwn innau.
'Dim ond repteils dwi isio yma, ddim blydi anifeiliaid o fforestydd y glaw. Wyt ti ddim yn meddwl na fedra i ddim nabod "ymlusgiad" pan wela i un? I be ddiawl dwi'n talu 'nhrethi os ydi pob anifail penchwiban am gael martsio drwy fy lle fi'n cwyno am fy seins i gan honni ei fod o'n repteil? Sŵ Gaer ydi'r lle i chdi, mêt.

Mae *O'r Harbwr Gwag i'r Cefnfor Gwyn* yn gyfuniad o naratif realaidd a naratif y dychymyg neu'r isymwybod.

Dadl nifer o awduron ôl-fodern yw bod y byd mewn gwirionedd yn afresymol a swrrealaidd yn ei hanfod. Yn ôl JG Ballard, "Dyn yw'r unig anifail y mae stad normal ei feddwl yn ymylu ar wallgofrwydd".

Rhyngdestunoldeb

Julia Kristeva a fathodd y term 'rhyngdestunoldeb', ac yn wreiddiol roedd yn ffordd o sôn am gyfeiriadaeth a dylanwad testunau eraill ar y stori neu'r nofel.

Gall awduron ôl-fodern ddefnyddio llawer iawn o gyfeiriadaeth yn fwriadol er mwyn cryfhau ystyr neu greu effaith arbennig.

Datblygodd math o ffasiwn hefyd i ddyfynnu testunau eraill heb gydnabod hynny. Does dim yn newydd yn hyn wrth gwrs. Roedd Y Testament Newydd er enghraifft yn dyfynnu'n aml o'r Hen Destament.

Gall cymeriadau mewn nofel neu stori ôl-fodern gyfeirio at bobl go iawn neu at gymeriadau mewn storïau/nofelau eraill. Dyma Dafydd Huws yn *Un Peth 'Di Priodi, Peth Arall 'Di Byw* yn cyfeirio at nofel arall o'i eiddo yn ogystal ag at bethau eraill tu allan i fyd y testun.

Pan 'sgwennish *i Dyddiadur Dyn Dwad* stalwm mi gesh i lythyr twrna gin un boi yn deud 'mod i'n ei enllibio fo. O'dd o'n gofyn am gan punt yn syth bin ne mi fysa'n siwio fi am rwbath tebyg i be gath gwraig *Jack the Ripper* gin *Private Eye*. 'Sgwennish i lythyr byr yn-dôl ato fo, a dim magan o bres, ia. Dwi 'di sylwi pa mor effeithiol ydi chwe gair bach fatha 'Rho dy ben yn dy din!' weithia.

Gall nofelydd ôl-fodern yn aml 'fenthyg' neu 'efelychu' testun arall. Mae William Owen Roberts yn cydnabod fod dylanwad Kafka ar ei nofel *Bingo* ac mae Enid Jones yn dangos ei fod wedi "cynnwys un o freuddwydion Kafka (y freuddwyd am y puteindy) yn ei chrynswth a heb unrhyw newid".

Dinoethi gwacter ystyr

Un o'r themâu ôl-fodern yw cwestiynu beth sy'n iawn ac yn wir ac yn real gan ystyried nad yw'r hyn a welwn yn wirionedd. Tu ôl i'r cyfan mae'r syniad o wacter popeth – gwacter ystyr. Byd wedi'i ddarnio, byd o unigolion diwreiddiau yn aml a bortreadir. Un o'r rhesymau dros wacter ystyr yw diffyg cariad. Un o themâu mawr Nabokov yw'r syniad o obsesiwn yn esgus bod yn gariad megis yn *Lolita* – gwacter serch heb gariad. Ceisiodd Nabokov ddangos bod obsesiwn yn gwyrdroi popeth. Mae person sy'n defnyddio grym dros berson arall yn cyflawni trosedd – megis trais yr olygfa rywiol yn *Dirgel Ddyn*.

Defnyddio arddulliau gwahanol o fewn yr un testun

Arloesodd Caradog Prichard drwy ddefnyddio arddulliau gwahanol yn *Un Nos Ola Leuad*. Mae'r rhan fwyaf o'r nofel mewn arddull lafar dafodieithol:

> Dyna pam aeth Huw a finna i nôl cnegwarth o fala bach i ddrws cefn siop Margiad Lewis, am nad on i ddim wedi cael brecwast i fynd i Rysgol am fod mam wedi mynd i olchi i Ficrej. Roeddan ni'n gorffan u bwyta nhw dest cyn cyrradd Rysgol a'r cloc yn taro naw.

Ond yn y canol ac ar ddiwedd y llyfr ceir arddull Feiblaidd sy'n ein hatgoffa o *Caniad Solomon* pan mae Brenhines y Llyn Du yn llefaru:

> Myfi yw Brenhines yr Wyddfa, Priodasferch y Person Hardd. Gorweddaf yng ngwely fy nyrchafael, yn dragywydd ddisgwylgar, yn fythol feichiog, yn niderfyn awr esgor.

Yn *Un Peth 'Di Priodi, Peth Arall 'Di Byw* mae'r naratif yn un rhan o'r llyfr ar ffurf sgript ffilm – yna mewn rhan arall o'r nofel ceir adroddiad drwy bapurau newydd.

Awdur sy'n hoffi newid cywair ac arddull yn aml yw Robin Llywelyn. Yn *O'r Harbwr Gwag i'r Cefnfor Gwyn*, ceir newid cywair ac arddull. Mae'r nofel yn agor gydag arddull ffurfiol lenyddol.

> Rywle yng nghanol cyfnos y ddinas mae 'na ffôn yn canu mewn stafell wag. Mae'r sŵn yn llifo fel atgof hyd y coridorau ac i fyny ac i lawr y grisiau ond ni threiddia fawr i'r rhandai eraill, heibio 'u drysau trwm a'u chwerthin teledu. Ond yn y stafell foel mae'r larwm yn diasbedain o wal i wal ac yn atsain o'r ffenestri. Drwy'r canu ni syfl y streipen olau sy'n disgyn o'r ffenest ac yn rhannu'r llawr yn ddwy ac yn rhannu'r waliau'n drionglau llwydion. Yn y cysgod o dan y ffenest saif y teclyn swnllyd ar docyn o lyfrau ffôn.

Yna, mae'r arddull yn troi'n arddull lafar.

> Tydw i fawr o gamstar ar dynnu llun ond wedyn un syml ddigon ydi hwn. Y cwbwl dach chi angen ei weld ydi'r môr yn las a'r haul yn felyn.

Yn nes ymlaen ceir newid cywair neu arddull eto i ddisgrifio Gwynfyd a chawn eiriau llenyddol, hynafol ac arddull debyg i'r hen chwedlau Cymraeg a defnydd bwriadol o enwau priod soniarus.

> 'Ie,' meddai Dail Coed a dywedodd yr hanes air am air yn union fel y bu, a chwedlau eraill hefyd a ddywedodd a threuliasant y noson honno, ysbaid yn rhoi'r byd yn ei le, ysbaid yn chwerthin, yn siriol a digonol, pob diod yn hen, pob bwyd yn ffres, a'r tamaid ola mor felys â'r tamaid cynta. 'Byw na bwyf i,' meddai Dail Coed a'r wawr yn glasu drwy'r brigau allan, 'os oes air o anwiredd yn yr un ohonyn nhw i gyd.' Gwasgodd garreg gron i law Gregor. 'Rho hon i'r sawl a'i cais gennyt.'

Camarwain darllenwyr/Amwysedd

Ceir **Adroddwr Na Ellir Dibynnu Arno** yn *Bingo* gan William Owen Roberts. Datgela'r nofelydd mai ffilm yw'r pum tudalen ar hugain cyntaf. Ar y diwedd mae'r cymeriad yn cael ei hun mewn ffilm ac yn garcharor yn yr union ffilm y bu'n ei gwylio ar y dechrau.

Gall yr awdur ôl-fodern **gamarwain ei ddarllenwyr yn fwriadol**. Dyna a wna Mihangel Morgan gyda'r cymeriad Melog yn *Melog*, sydd o aildrefnu'r gair, yn rhoi i ni *'Golem'*. Dyna a geir yn y nofel – ond tu fewn i'r nofel ceir esboniad camarweiniol ar arwyddocâd y gair. Weithiau gosodir cliwiau sy'n camarwain yn fwriadol.

Mae **amwysedd** yn un o'r technegau ôl-fodern. Ceir amwysedd bwriadol yn *Un Nos Ola Leuad* gan Caradog Prichard. Roedd Caradog Prichard yn amwys am fod profiadau ei blentyndod mor boenus iddo ac roedd datgelu ei gariad obsesiynol at ei fam bron yn amhosibl ei wneud ond mewn ffordd amwys a symbolaidd. Gwnaeth hyn drwy gyfrwng y cymeriad Em sy'n cerdded y Lôn Bost yng ngolau'r lleuad yn gweiddi am ei fam.

Gan **nad oes ddatrysiad** mewn bywyd go iawn mae'r ôl-fodernwyr yn dadlau nad oes angen datrysiad ar ddiwedd nofel. Gall y darllenydd yn aml deimlo ar goll gan nad oes yn y diweddglo ddatrysiad taclus i'r cyfan o densiynau'r nofel. Does dim amheuaeth fod diffyg datrysiad taclus *Dirgel Ddyn* yn creu diweddglo amwys a phenagored.

Gosod stori o fewn stori/mise en abyme

Defnyddiodd awduron ôl-fodern ddyfais a elwir 'Stori o fewn stori' (neu *mise en abyme*). Gellir dweud 'stori o fewn stori' er mwyn diddanu ond fel arfer mae gan y 'stori o fewn stori' arwyddocâd symbolaidd neu seicolegol i'r cymeriad yn y brif stori. Yn aml bydd y 'stori o fewn stori' yn datgelu gwirionedd y stori allanol. Gall 'stori o fewn stori' ddylanwadu ar weithredoedd cymeriad yr arwr megis yn *Don Quixote* gan Cervantes. 'Stori o fewn stori' sy'n esbonio athroniaeth yr awdur yw 'Stori'r Pen Chwiliadur' yn *Y Brodyr Karamatzov* gan Dostoieffsci. Mae Mihangel Morgan yn hoff o adrodd stori o fewn stori megis yn *Y Ddynes Ddirgel.*

Dod â thechneg y ffilm i fyd y nofel

Un o'r pethau sy wedi cael effaith fawr ar y nofel ôl-fodern yw datblygiad y cyfryngau torfol ac yn arbennig y ffilm. Un o dechnegau Nabokov oedd rhoi disgrifiadau manwl yn *Ada neu Ardor,* manylder realaidd sy'n union fel techneg ffilm. Mae cyfeirio cyson at ffilmiau yn *Dirgel Ddyn* ac yn *Dan Gadarn Goncrit* ac enw un o'r prif gymeriadau yw Maldwyn Taflun Lewis. Mae cyfrwng y ffilm ei hun yn symbol o'r hyn sy'n ffug. Y bwriad yw dangos cymaint yw gallu pethau ffug i ymddangos fel realiti a'n twyllo ni. Nid twyllo'r darllenydd yw bwriad ôl-fodernwyr fel Nabokov a Mihangel Morgan ond creu rhithiau er mwyn dangos mai rhithiau ydyn nhw, a'r perygl o adael i ni'n hunain fynd ar goll mewn byd o rithiau. Dangos mai twyll yw awdurdod y Wladwriaeth, twyll yw'r Cyfryngau Torfol gan ddangos hefyd allu dyn i dwyllo ei hun – hunan dwyll. Ar yr olwg yma mae Nabokov a Mihangel Morgan yn foesegwyr sy'n ceisio tynnu ein sylw at y twyll mewn bywyd.

Chwarae â geiriau

Mae llawer o'r nofelwyr ôl-fodern yn hoff o chwarae â geiriau megis Nabokov yn defnyddio pob math o glyfrwch a thriciau geiriol. Mae hyn yn aml yn fwriadol er mwyn tynnu sylw'r darllenydd at y ffaith mai testun 'ffug' neu ffuglen sydd yma.

Un awdur Cymraeg ôl-fodern sy'n hoffi chwarae â geiriau yw Robin Llewelyn:

> Eglurodd Stotig yr hoffai abid mynach. Nid oedd ei dad am gyd-weld. "Mae gin ti ddigon o habids afiach yn barod, meddai.

Sonia am gymeriad o'r enw Ffawd Higgins ac yna:

> Nid amlach y daw Ffawd nag y daw anffawd yn ei sgil... Mae Anffawd Morgan yn gweiddi 'Hola' wrth groesi buarth Casa Marguerita tuag atynt.

Ceir cymeriad o'r enw PC Long yn 'Vatilan, Lleidr Llestri':

> "doedd o fawr o gop'.

Defnyddio brawddeg gyda hanner olaf annisgwyl megis:

> Vatilan, lleidr llestri hirben a diegwyddor, oedd yr unig un i Nel ei garu go iawn erioed.

Gwrthgyferbyniadau sydyn sioclyd megis:

> 'Onid ydi o'n wyrthiol berffaith.'
> 'Mae o'n crap,' meddwn...

Cyffelybiaethau lliwgar:

> dichon i hynny ei daro'n ei dalcen fel lori lo a honno'n rowlio lawr yr allt heb frecs...

Defnyddia gyfeiriadaeth lenyddodd:

> Canodd fel cana'r aderyn...
>
> Y drws na ddylid ei agor oedd ganddo dan sylw

Cyfeiria Robin Llywelyn yn y stori 'Bant â'r Cawr' at *Ysgrifau Beirniadol* a'r *Bywgraffiadur*. Defnyddia gymeriad o chwedl a chymeriad hanesyddol yn yr un stori sef Bendigeidfran, y cawr, a Williams Pantycelyn, yr emynydd.

Rhai Themâu ôl-fodernaidd

Mae rhai themâu cyson a chyffredin yng ngwaith ôl-fodernwyr. Dyma rai ohonyn nhw:

- Dadfeiliad cymdeithas gan adael yr unigolyn yn ynysig ac ar goll.
- Gormes materoliaeth a gwacter byd heb gariad a chlymau emosiynol.
- Diymadferthedd dyn wyneb yn wyneb â'r byd technolegol torfol.
- Protest yn erbyn y realiti ffals a grëir gan y cyfryngau torfol.

Cyfweliad Mihangel Morgan

Rydych chi, drwy un o'ch cymeriadau, wedi rhoi esboniad ar eich dull o ysgrifennu. "Beth yw'r stori... dim, neu'r peth nesaf i ddim... o leiaf ni cheir anturiaethau... dim cyffro, dim symud cyflym. Dim ond tyndra a disgwyl, a thristwch sy'n datblygu'n araf." Fe ddywedoch nad oedd i chi 'gysondeb' Kate Roberts o ran iaith ac arddull ac awyrgylch, ond eich bod yn 'fwy amlochrog, anystywallt, yn llawn o fanylion a dirgelion.' A yw'r sylwadau hyn yn wir am eich nofelau a'ch straeon chi?

Mae'r broses o ysgrifennu nofel yn digwydd nid yn yr ymennydd ond yn y dychymyg, o leia dyna fy mhrofiad i. Mae 'na nofelwyr deallusol, wrth gwrs, fel Saunders Lewis neu Wil Roberts, er enghraifft. A dwi'n edmygu'r rheina'n fawr iawn. Ac mae 'na nofelwyr sydd â rhyw neges, 'rhywbeth i'w ddweud', chwedl Kate Roberts. Pobl fel Angharad Tomos, efallai, a Robat Gruffudd. Ond does gen i ddim byd sy'n pwyso arna i i gael ei ddweud. Does gen i ddim ffydd mewn unrhyw safbwynt gwleidyddol, er bod 'na elfennau gwleidyddol yn fy storïau a'm nofelau – yn amlach na pheidio mae'r syniadau yna'n perthyn i'r cymeriadau yn hytrach nag i mi. Fy niddordeb i yw'r naratif ei hun, y broses o lunio'r naratif, ac mae hynny'n digwydd ar lefel yn y dychymyg. Dwi ddim yn licio'r hen syniad rhamantaidd o 'ysbrydoliaeth', ond mae'r broses o ddychmygu'n ddyfnach na dychymyg bob dydd (os yw hynny yn gwneud synnwyr). Ac mae hynny yn anodd ei reoli neu'i gyfeirio.

Rydych chi'n defnyddio technegau ffilm yn eich nofelau, ac mae eich nofelau'n darllen fel 'ffilmiau rhyddiaith'. Un o brif nodweddion y dechneg hon yw'r pwyslais ar y gweledol – cyfoeth o ddisgrifio manwl, disgrifiadau crefftus o gymeriadau, a disgrifiadau manwl o'r cefndir. Beth yw pwrpas y disgrifio manwl?

Mae dylanwad y ffilm nid yn unig ar dechneg eich nofel* Dirgel Ddyn*, ond ar ei thema hefyd – mae cyfeirio cyson at ffilmiau ynddi; ac yn* Dan Gadarn Goncrit *mae enw'r prif gymeriad yn arwyddocaol – Maldwyn Taflun Lewis!

Ai nofelwyr sy'n dilyn ffilmiau neu ynteu ffilmiau sy'n dilyn nofelau? Rwy'n gweld holl dechnegau ffilmiau mewn hen nofelau. Mae ôl-fflachiadau a chywasgu amser, cyflymu digwyddiadau a'r 'dibyn disgwyl' (*cliffhanger*) i'w gael mewn hen nofelau. Mae'r holl syniad o wyrdroi amser yn dod o nofelau, nid o ffilmiau. Meddwl ydw i am nofelau fel *Don Quixote* a *Tristram Shandy* ond ceir yr un technegau yn Daniel Owen. Cyhoeddwyd nofelau Daniel Owen mewn cyfnodolion gyntaf, fesul rhannau ac fe gadwai'r darllenwyr ar ddiwedd pob rhan ar ddibyn disgwyl. Mae 'na ôl-fflachiadau i gael yn Rhys Lewis ac Enoc Huws.

Mae disgrifio manwl, hefyd, yn hen dechneg mewn nofelau. Y manylion sy'n gosod y lleoliad a'r cymeriad ym meddwl y darllenydd. Weithiau, mae manylion yn gallu dweud mwy am natur cymeriad na thudalennau o ddadansoddi seicolegol. Galwai John Gwilym Jones y pethau bach hyn sy'n dweud llawer yn 'fanylion huawdl'. Yn *Dan Gadarn Goncrit* fe geisiais i ddefnyddio cerddoriaeth i gyfleu personoliaeth. Mae'r miwsig y mae person yn ei ddewis yn dweud llawer amdano.

Yn* Dirgel Ddyn *rydych chi'n defnyddio un o hoff dechnegau ôl-fodernwyr sef cynnwys eich hun yn y nofel a gosod ffeithiau hunangofiannol yn gymysg â ffuglen. Fedrwch chi esbonio'r dechneg yma gan ymhelaethu ar y modd rydych chi'n cymysgu ffuglen ag elfennau hunangofiannol mewn nofel megis* Dirgel Ddyn*?

Wrth gwrs, mae pob nofelydd yn defnyddio peth deunydd hunangofiannol, i raddau. Mae popeth yn seiliedig ar ein profiadau'n hunain. Ond ddywedwn i ddim fy mod i'n llenor hunangofiannol. Dwi ddim yn credu y gallai neb olrhain hanes fy mywyd i wrth astudio fy storïau. Yn wir, mae cymeriadau fy storïau yn byw bywydau llawer mwy diddorol a chyffrous ac arwyddocaol na 'mywyd i. Dyna pam, efallai, dwi'n licio ymddangos yn fy storïau weithiau. Ar y dechrau rhyw fath o jôc oedd hi a doeddwn i ddim yn disgwyl y byddai neb yn sylwi arna i yn 'popo lan' fel petai. Ond fe sylwodd ambell adolygydd craffach na'i gilydd, a bellach mae ambell ddarllenydd yn disgwyl amdana i ym mhopeth dwi'n ysgrifennu. Ond mae ymrithiad yr awdur yn ei waith ei hun yn atgoffa'r darllenydd fod 'na ddimensiwn y tu allan i ffrâm y naratif.

Mae'r prif gymeriad yn* Dirgel Ddyn *yn 'Adroddwr Na Fedrwn Ni Ddibynnu Arno', ac ar ddiwedd y stori 'Dicter' fe ddatgelir mai ffrwyth dychymyg yr awdur yw pob un o'r cymeriadau ac mai'r awdur-bypedwr fu'n chwarae gêmau gyda'i greadigaethau dychmygol. Fedrwch chi ddweud mwy wrthon ni am yr 'adroddwr annibynadwy' yn y nofel/stori?

Dwn i ddim pwy oedd yr awdur cyntaf i wneud yr 'adroddwr na fedrwn ni ddibynnu arno' yn amlwg, ond i ryw raddau mae pob adroddwr mewn darn o ffuglen yn un na allwn ni ddibynnu arno gan nad yw ffuglen yn gaeth i ffeithiau yn unig.

Oes yna dechnegau ôl-fodern eraill yn eich gwaith megis 'y gwaith o fewn y gwaith' a defnydd o gyfeiriadaeth lenyddol?

Oes, mae 'na storïau o fewn storïau i gael ym mhob un o'm nofelau, yn *Melog* ac yn *Croniclau Pentre Simon* yn arbennig. Mae cryn dipyn o gyfeiriadaeth lenyddol yn fy ngwaith hefyd. Yn un o'm storïau yn *Saith Pechod Marwol* er enghraifft ac yn *Melog*.

Hoffwn drafod y 'dirgelion' yn eich gwaith sydd ar eich cyfaddefiad chi eich hun yn 'llawn dirgelion'. Rydych chi wedi sôn eich bod yn un o'r 'llenorion twyllodrus na allwch chi ddim dibynnu arnyn nhw' ac mai 'twyll yw llenyddiaeth'. Gawn ni drafod y thema ffantasi a realiti. Mae llawer o'ch storïau yn seiliedig ar ddigwyddiadau go iawn ond wedyn yn symud i fyd y dychymyg. Beth ydych chi'n ceisio'i ddweud wrthon ni drwy symud o'r gwir i'r dychmygol neu'r ffug mewn stori neu nofel?

Mae gen i ddiddordeb mawr mewn dirgelion yn enwedig unrhyw ddirgelwch heb ateb neu ddatrysiad iddo. Ac mae'n gas gen i unrhyw stori neu nofel sy'n gorffen yn dwt gyda phopeth wedi'i glymu'n daclus. Dyna pam does 'da fi ddim amynedd gyda nofelau ditectif lle mae Hercule Poirot neu Morse yn egluro popeth ar y diwedd. Dyw bywyd ddim fel 'na mewn gwirionedd, mae'n llawn darnau digyswllt anorffenedig. Mae'r nofel daclus yn llawer mwy artiffisial na'm nofelau i. Dwi ddim yn licio ffantasïau, ychydig o ffantasi sydd yn fy ngwaith i a gweud y gwir. Mewn ffantasi mae unrhyw beth yn bosibl. Mae Harry Potter bob amser yn gallu'i achub ei hun o unrhyw bicil drwy adrodd rhyw eiriau hud a lledrith. Ond mewn bywyd go iawn yr unig ateb i ddirgelion neu broblemau yw'r dychymyg. Weithiau, yr unig ffordd y mae pobl yn gallu delio â phroblemau bywyd yw drwy symud i fyd y dychymyg.

Mae gen i broblem gyda diffyg datrysiad mewn nofel. Er enghraifft yn Dirgel Ddyn does dim datrysiad i ddirgelwch y nofel – mwy nag y mae datrysiad i Wrth Aros Godot. Fe fedra i dderbyn bod y nofel yn ei chyfanwaith i fod cyfleu ystyr – ond beth am rôl draddodiadol y storïwr – a yw'r darllenydd yn cael ei siomi gan ddiffyg datrysiad?

Mae celfyddyd yn cynnig neu'n gaddo trefn a datrysiad i bethau. Mae'n ddigon naturiol ein bod ni'n crefu am gael datrysiad clir i'r stori neu nofel. Rhaid i mi ddweud rydw i'n edmygu diweddglo taclus sy'n argyhoeddi ac un o'r pethau mwya anodd mewn ffuglen yw cael diweddglo taclus naturiol. Credaf fod diwedd 'Hen Lwybr' yn ddigon anochel ac roeddwn i'n eithaf hapus gyda diwedd *Dan Gadarn Goncrit*. Ond er ein bod ni'n dymuno cael diweddglo clir sydd yn ein hargyhoeddi nid yw'n adlewyrchu bywyd fel y mae. Mae'n beth od mai dim ond mewn ffuglen realaidd y cewch chi ddatrysiad cymen yn amlach na pheidio. Ond mewn bywyd go iawn prin yw'r teimlad o ddatrysiad i bethau. Mae'r profiad o fyw o ddydd i ddydd yn anhrefnus a blêr ac yn fy marn i dylai'r nofel adlewyrchu'r teimlad yma, boed hi'n nofel realaidd neu fel arall. Natur y nofel yw nad yw'n dymuno dod i ben, a'r unig ffordd rydyn ni'n gallu cyfleu hynny, hyd y gwela' i, yw wrth beidio â chyflwyno diweddglo twt. Does dim byd newydd yn y syniad yma. Mae'r rhan fwya o storïau Kate Roberts, ac o'i blaen hi Chekov, yn syml yn dod i ben, yn stopio, does dim datrysiad. Ond dylai'r stori barhau yn nychymyg y darllenydd. Dyna le mae'r datrys yn y pendraw.

Gaf i drafod y thema 'perthynas pobl â'i gilydd' yn eich llyfrau – sef pwysigrwydd perthynas ddidwyll yn hytrach na thwyll a rhagrith. Fyddai hi'n wir dweud mai dyma un o'r prif themâu os nad y brif thema yn eich gwaith? Ydych chi hyd yn oed yn awgrymu, megis yn 'Yr Heiasinth', fod modd i ni gael perthynas ystyrlon gyda byd natur ac mai ein ffordd ni o edrych ar eraill, yn bobl a phethau, sy'n bwysig

Ydw, credaf fy mod i yn dweud taw ein ffordd o edrych ar bobl ac ar anifeiliaid ac ar natur sy'n bwysig. Ond hefyd mae'r amhosibilrwydd o ffurfio perthynas â phobl eraill yn thema.

Beth am ddylanwad Kate Roberts? Roedd saernïaeth gelfydd 'Hen Lwybr' yn fy atgoffa'n fawr o holl naws cynnil, awgrymog Kate Roberts. Yn arbennig felly yn y disgrifiadau cefndirol, sef disgrifiadau o'r bobl yn dod ar y bws a llif meddyliau am y bobl hyn yn datgelu'r cymeriad. Mae 'Hen Lwybr' yn glasur bychan yn fy marn i – lle rydych yn troi'r cyffredin gwrtharwrol yn arwrol. A fyddwn i'n iawn i ddweud mai arwrgerdd i'ch chwaer/mam/pob un yw hon o ran cynnwys a'i bod hi hefyd yn deyrnged i Kate Roberts o ran arddull?

Rwy'n edmygydd mawr o Kate Roberts a'i gwaith, ei hedmygydd penna, efallai, er gwaetha'r ffaith fod rhai o'm storïau yn ei dilorni a'i difrïo, fel petai.

Alla i ddim ateb ail ran y cwestiwn hwn; alla i ddim dadansoddi fy nhechnegau fy hun. Mae'n reddfol. Oni bai'ch bod chi'n sgrifennu'n reddfol dydych chi ddim yn llenor.

Fe fydda i'n gweld tebygrwydd rhwng cefndir eich nofelau chi a chefndir llawer iawn o ôl-fodernwyr – sef cefndir dinesig – pobl ddiwreiddiau yw'r cymeriadau yn aml yn byw bywyd cwbl ynysig. Fedrwch chi ddweud gair byr am y cefndir yn eich nofelau?

Dywedais yn *Melog* (os cofiaf yn iawn) nad wyf yn credu mewn gwreiddiau ond credu mewn camau ydw i.

Un o'r pethau sy'n gwneud eich gwaith yn ddiddorol yw eich amrywiaeth arddull. Rydych chi'n defnyddio arddulliau gwahanol – syml uniongyrchol, ddychanol, ffurfiol, addurnol ac yn y blaen.

Mae'n bwysig amrywio arddull er mwyn bywiocáu naratif. Yn *Hanes Rhyw Gymro* rhoes John Gwilym Jones lais unigryw i bob cymeriad – ac mae 'na lu o gymeriadau yn y ddrama honno.

Rydych chi'n ddychanwr deifiol – a fyddwn i'n iawn yn dweud mai awdurdod, malu cachu academyddion/adolygwyr, a rhagrith mewn perthynas yw eich prif gocynau hitio?

Dychan yw unig arf y llenor. Ar hyn o bryd carwn ysgrifennu rhywbeth i ddychanu George W Bush, ond wrth lwc mae'n ei ddychanu'i hunan bob tro mae'n agor ei geg. Liciwn i ddychanu Rowan Williams a'r Pab presennol, y cyn-Natsi.

Teimlaf ei bod yn wir am y rhan fwyaf o'ch cymeriadau bod yna ddatgeliad o ochr arall i'r bersonoliaeth yn digwydd er i'r cymeriad ar y dechrau ymddangos yn unochrog megis Mr Schloss. Ffasgydd yw e yn ei holl agweddau, ond yna daw datgeliad o'i dynerwch at anifail a'i gefndir teuluol o ddioddefaint sy'n esbonio ei agweddau. Roedd Waldo yn arfer dweud am bobl – "pe gwyddem y cwbwl amdanyn nhw fe fydden ni'n eu deall ac yn cydymdeimlo â nhw". Oes elfen o geisio deall ac adnabod cymeriad yn y modd yma yn eich cymeriadau chi?

Rwy'n cyd-fynd â Waldo.

Rydych chi wedi creu isfyd o gymeriadau 'yr unig a'r anghyffredin, y di-waith a'r digartref'. Felly mae eich nofelau yn cynnwys yr od a'r anghyffredin cyffredin.

Onid yw pawb yn od mewn rhyw fodd neu'i gilydd? Dwi ddim yn credu mewn pobl od a phobl normal. Does neb yn normal – o leia' dwi ddim wedi cwrdd â neb sy'n gwbl normal. Mae'n gas gen i'r sylw sy'n dweud fy mod i'n sgrifennu am bobl ar ymylon cymdeithas. Mae'r rhan fwyaf ohonom ar ymylon cymdeithas ar ryw ystyr.

Hoffaf yn fawr yr hiwmor yn eich gwaith. Pa swyddogaeth sydd i'r hiwmor?

Mae hiwmor yn ddifrifol. Hiwmor sy'n dod â ni drwy fywyd. Mae hiwmor fel rheol yn wedd ar drasiedi. Mae gweithiau dihiwmor yn annioddefol.

Beth yw cyfrinach creu dialog da?

Cyfrinach dialog yw gwrando er eich cymeriadau.

Detholiadau o waith Mihangel Morgan

1. Hen Lwybr

Beth oedd hi wedi'i wneud yn ystod ei bywyd? Priodi. Pwy oedd ei gŵr? Doedd hi ddim yn ei nabod. Pam oedd hi wedi'i rhwymo'i hunan wrth ddyn fel'na mor gynnar, mor fyrbwyll? Ofn mae'n debyg, ofn bod ar ei phen ei hun. Wedi'r cyfan doedd wyth ar hugain ddim yn gynnar iawn (doedd hi ddim yn hen iawn chwaith, ond wrth gwrs doedd hi ddim yn gwybod hynny ar y pryd) ofn bod heb gynhaliaeth oedd arni. Ond doedd hi erioed wedi poeni am bethau fel'na cyn i Robert ymddangos, erioed wedi meddwl bod dim byd o'i le ar fod ar ei phen ei hun. Daeth y cyfle i gael gŵr, y cyfle i briodi fel pawb arall, ac roedd hi wedi achub ar y cyfle, dyna i gyd. Mae pob cyfle yn demtasiwn, hyd yn oed pan fo'n cynnig rhywbeth na ddeisyfir.

Yn achlysurol yn ystod ei phriodas roedd hi wedi ystyried tynged hen ferched dibriod â chymysgedd o genfigen ac edmygedd. Y rheidrwydd i warchod rhyw berthynas, eu mamau gan amlaf, oedrannus neu fethedig oedd wedi rhwystro sawl un rhag cymryd gŵr. Dyna Meg drws nesa ond dau a fu'n gofalu am ei mam am flynyddoedd tra bu ei brawd yn gweithio a chael hwyl yn Llundain. Edrychid ar y menywod hyn gyda rhywbeth tebyg i dosturi, yn enwedig ar ôl i'w mamau farw. Dyna Elsi a oedd yn mynd i Garmel er enghraifft a adawyd ar ei phen ei hun wedi iddi fod yn gwarchod ei mam yn dda nes ei bod yn fenyw orweiddiog a chrintachlyd yn ei nawdegau. Erbyn marwolaeth ei mam roedd Elsi'i hun yn ei thrigeiniau, yn brin o ffrindiau, gan iddi fod yn gaeth i'r tŷ mor hir oherwydd ei mam. Ond i Gwen nid oedd y menywod hyn yn rhai i dosturio wrthynt. Gwyddai fod y berthynas rhwng mam a merch yn ddigon hapus ac yn well na llawer o'r priodasau y gwyddai amdanynt, gan gynnwys ei phriodas ei hun. Ond roedd merched eraill wedi penderfynu peidio â phriodi. Merched o gymeriad cryf oedd y rhain bron heb eithriad: yn athrawesau ac yn nyrsys gan amlaf. Edrychid arnynt, wedi cael eu cefnau, gyda dirmyg, yn enwedig gan ddynion. Byddai rhai o'r gwragedd yn cael hwyl am eu pennau weithiau hefyd.

Roedd 'na ddwy hen ferch yn byw yn un o dai mawr Bronsiencyn Terrace, y naill wedi bod yn fetron mewn ysbyty mawr a'r llall wedi bod yn brifathrawes. Roedd y gyn-fetron yn fenyw garedig iawn, yn dipyn o ledi a allai siarad Saesneg y Saeson gorau, ond yn gyfeillgar ac yn barod i wenu a chyfarch rhywun. Ond roedd y llall, y gyn-athrawes, yn hen sgeran surbwch, ddi-wên ac yn gas wrth blant. Gwisgai siacedi a throwsys a beret ar ei phen a smygai sigarennau costus drewllyd. Er eu bod yn bâr mor hynod o od ac yn chwerthinllyd o ystrydebol, ac er ei bod yn eu hofni nhw ryw ychydig ac yn ddigon balch o drefn yr ardal fel esgus i'w cadw o hyd braich, yn ddirgel, yn ei chalon roedd Gwen yn eu hedmygu nhw'n fawr iawn.

Ond roedd yn well ganddi'r hen Bopa Lisi nag unrhyw ferch ddibriod arall yn y cylch. Doedd neb wedi'i rhwystro rhag priodi. Roedd hi'n greadur rhy annibynnol i gael ei rhwystro rhag gwneud unrhyw beth yn groes i'w hewyllys. Roedd hi wedi dewis bod ar ei phen ei hun ar hyd ei hoes, ac wedi'i chynnal ei hunan drwy weithio mewn siop ddillad yn y dref. Daeth yn gymeriad adnabyddus yn y fro er gwaethaf ei safiad. Roedd pawb yn ei charu, dyna pam roedd pob un o'r plant yn ei galw hi'n 'Bopa'. Dysgai ddosbarth o blant yn yr Ysgol Sul, ac roedd pawb yn y cylch yn ei nabod hi. Ychydig cyn iddi farw crybwyllodd Gwen ei hedmygedd ohoni, ond y cyfan a ddywedodd hi oedd, 'Dwyt ti ddim yn gw'pod 'n stori i gyd, nag wyt ti?'

Teimlai Gwen weithiau, yn enwedig pan gofiai am Bopa Lisi, ei bod hi'i hun yn ferch ddibriod wrth natur, ac y gallasai fod wedi byw ei bywyd ar ei phen ei hun heb ŵr. Mewn geiriau eraill roedd hi'n difaru priodi. Ond roedd hi wedi cael y profiad o fod yn fam ac er iddi gael trafferth i glosio at ei phlentyn ar y dechrau gwyddai erbyn hyn mai dyna brofiad pwysicaf ei bywyd. Allai hi ddim dychmygu'i bywyd heb ei phlentyn. Ar y llaw arall ni châi anhawster i ddychmygu bywyd heb ei gŵr…

Mae'r bws wedi stopio mewn lle tywyll iawn. Mae Gwen yn edrych drwy'r ffenestri ond yn methu gweld dim, dim golau hyd yn oed yn y pellter. Mae Gwen yn sylweddoli hefyd nad oes neb arall ar y bws ar hyn o bryd ac eithrio'r gyrrwr ond all hi ddim ei weld ef oherwydd ei bod yn eistedd y tu ôl iddo ac yntau'n eistedd yn ei gaban. Teimla Gwen yn ynysiedig, mewn düwch oer. Gwêl adlewyrchiad ohoni hi'i hun yn y gwydr. Hen wraig mewn dillad di-raen, hen fenyw fach dlawd, gyffredin. Gwreigan ar ei phen ei hun.

Ymateb i ddetholiad I

- ***Dywedodd Mihangel Morgan 'Cyflwr hollol afresymol a thwp ac anhrefnus o ddod â phobl at ei gilydd yw rhyw a serch'. Mae 'Hen Lwybr' yn trafod thema unigrwydd a'r ffaith fod dyn yn ei hanfod yn ynysig – heb fedru dod yn agos at bobl, er bod yn gorfforol agos atyn nhw. Dyw priodas ddim o angenrheidrwydd yn arbed person rhag bod yn unig. Trafodwch sut mae Mihangel Morgan yn ymdrin â'r thema o natur ynysig dyn.***

- ***Esboniwch y modd y mae'r awdur yn defnyddio'r cefndir, sef y daith ar y bws, yn symbolaidd.***

- ***Trafodwch arddull y darn gan ddangos y modd y mae dewis y llenor o eiriau yn creu darlun arbennig yn ein meddwl.***

2. Dan Gadarn Goncrit

Ar ddechrau nofel Mihangel Morgan Dan Gadarn Goncrit *mae'r olygfa hon.*

"Bole Da! Bole da, Pwdin Mawr!"

Agorodd y dyn mawr tew ei lygaid ar glywed sŵn y llais uchel, gwichlyd, a'r hyn a welodd drwy'i lygaid pŵl, cysglyd yn sefyll ar ei frest flewog – a'r blew yn wyn – oedd tedi bach melyn, a ruban coch wedi'i glymu mewn bwa o gwmpas ei wddwg. Mama Losin oedd yn ei ddal e yno, wrth gwrs, a hi oedd yn siarad.

"Dele shwsh i Shioli," meddai'r arth bach gan neidio o'r naill goes i'r llall nes iddo gyrraedd barf frith Pwdin Mawr. "Dele shwsh i Sholi," mynnodd yr arth.

Cusanodd Pwdin y tedi. Wedi'r cyfan roedd e'n gyfarwydd â'r ddefod hon; byddai hi'n digwydd bob bore. Ar y radio roedd Toni ac Aloma yn canu, 'Tri mochyn bach yn deud soch, soch, soch'.

"Odi Pwdin Mowl yn calu Shioli Bach?"

"Odi, mae Pw yn calu Shioli."

"Odi Pwdin Mowl yn caru Sioli lot lot lot?"

"Odi, lot lot lot."

"Faint?" Neidiodd yr arth ac aeth i mewn i'r cwmwl o farf o dan drwyn y dyn mawr.

"Mae Tada Pwdin yn dwlu ar Shioli ac yn ei galu fel hyn."

Estynnodd Pwdin ei freichiau gorila i'r eithaf.

"O! Pwdin, dw i'n dy galu di, hefyd."

Neidiodd y fenyw ar y gwely a gorwedd dros y dyn a chusanu'i wyneb blewog a'i ben moel fel petai'n ei fyta fe...

Yna, ar ddiwedd y nofel ceir yr olygfa yma:

"Pwds, Pwds!" mewiai'r llais yn llawn dychryn, "maen nhw wedi dod 'nôl 'to."

"Pwy 'nhw'?" gofynnodd Pwdin Mawr a oedd newydd ddeffro, a'i lygaid yn bŵl, a'i wallt a'i farf yn flêr. Ond roedd Mama Losin eisoes wedi codi ac wedi gwisgo a choluro'i hwyneb.

"Y blydi heddlu, wrth gwrs!"

Yn sydyn, neidiodd y dyn o'r gwely, a dim amdano ond trôns ych-a-fi o frwnt yn hongian yn llac am ei wasg, a'i fola gwyn yn hongian yn llac drosto. Crymodd ei ysgwyddau blewog i godi'i ddillad o'r llawr a gwisgo amdano ar frys.

"Be 'nawn ni, Tada, be 'nawn ni?" Roedd dagrau yn llygaid y fenyw. Rhedai o gwmpas gan grafu'i gwallt lliw caneri a rhwbio'i dwylo am yn ail. Clywid sŵn cloch y drws a'r ci'n cyfarth yn y gegin...

"... Dw i'n mynd i lawr i'w stopio nhw."

Eisteddodd y fenyw ar y gwely a chwpanu'i hwyneb yn ei dwylo.

"Mae hi ar ben arnon ni nawr," meddai, "maen nhw'n mynd i ffindo popeth."

"Cau dy ben," meddai Pwdin Mawr; diflanasai'r iaith chwareus.

"Tada! Paid â bod yn gas wrtho i."

"Wel, paid ti â bod yn dwp 'te. Arnat ti mae'r ffycin bai am bopeth."

Syllodd Mama Losin arno'n syn, gan fethu credu'i chlustiau. Am eiliadau hirion roedd y tawelwch yn bwysau: Yna daeth llais drwy'r drws a thrwy'r tŷ i gyd.

"Mr a Mrs Jenkins, dyma'ch cyfle ola' i agor y drws!" Aeth Mama Losin at y ffenestr a gweld ceir yr heddlu yn drwch, nifer o blismyn, goleuadau glas, cymdogion yn sefyll yn y stryd. Roedd un o'r plismyn yn siarad trwy uchelseinydd:

"Mae 'da ni'r awdurdod i ddod i mewn i archwilio'r tŷ tro hwn."

"Dy fai di yw hyn," meddai Pwdin Mawr, "wedais i fod y dyn 'na'n rhywun, ac y byddai rhywun yn siŵr o weld ei golled."

"Ond ti 'nath gamsyniad pan wedest ti wrth y plismon nad oedd e ddim wedi bod 'ma. O'n nhw'n gwpod i sicrwydd iddo fod 'ma, on'd o'n nhw'r twpsyn? Y ferch 'na ddaeth ag e, dyn y tacsi."

"A beth o'n i fod i 'weud?"

Aeth wyneb Mama Losin yn fflamgoch.

"Gweud ei fod e wedi bod ac wedi gadael, wrth gwrs, y ffycin twpsyn! Dw i'n anghofio, weithiau, lle cwrddais i â ti."

"A ble o't ti? Yn yr un blydi lle."

"Ond mae record 'da ti mor hir â 'mraich i," meddai Mama Losin yn gandryll. "GBH, trais, troseddau rhywiol gwyrdroëdig."

"Paid ti â sôn am hynna!" Edrychai Pwdin Mawr arni fel petai'n mynd i'w thagu pan siglwyd y tŷ i'w seiliau gan sŵn yr heddlu'n torri'r drws.

Rhedodd Pwdin Mawr a Mama Losin i ben y grisiau a doedd dim dewis ganddyn nhw ond sefyll yno ac edrych i lawr yn ddiymadferth a gwylio'r drws yn ildio a'r golau yn llifo i mewn gyda gwisgoedd unffurf glas yr heddweision. Yna rhedodd Pwdin Mawr i lawr a sefyll yn eu ffordd. Roedd e'n ddrws o ddyn mawr bygythiol.

"Chewch chi ddim dod i mewn i'n tŷ ni fel hyn."

"Nawr te, nawr te, Jenkins," meddai'r sarsiant, "aiff y pethau'n waeth i chi os 'ych chi'n trio'n rhwystro ni."

Caeodd Pwdin Mawr ei ddyrnau ond gafaelodd dau o'r plismyn yn ei freichiau. Roedd plismyn a phlismonesau'n bla drwy'r tŷ.

Yn araf deg daeth Mama Losin i lawr y grisiau.

"'Nes i ddim byd," meddai yn ei llais llygoden fach.

"Cau dy geg!" gwaeddodd Pwdin Mawr ond roedd y plismyn yn ei ddal e'n sownd.

"'Nes i ddim byd. Dw i'n ddieuog!"

"Cau dy blydi geg, bitsh!" bloeddiodd Pwdin Mawr fel tarw'n cael pwl.

"Fe 'nath y cyfan. Ac o'n i'n gorfod 'neud beth o'dd e'n gweud. O'n i'n ei ofni fe."

"Bitsh!" poerodd Pwdin Maw; a chwech o ddynion yn ei ddal e. "Ti 'nath 'y ngorfodi i!"

"Sut gallwn i orfodi dyn mawr fel ti?" gofynnodd Mama Losin gan befrio o ddiniweidrwydd croten o angel. "Sut gallwn i fod wedi cario'r cyrff i'r ardd i'w claddu nhw?"

"Ti 'nath 'y ngorfodi i i'w lladd nhw," meddai Pwdin Mawr a'i lais yn dawelach nawr ond yn crynu gan ddicter. Aeth plismones at Mama Losin a chymryd ei braich.

"Rhaid i mi'ch rhybuddio chi," meddai'r sarsiant, "fod popeth 'ych chi'n ei ddweud yn cael ei gofnodi a'i ddefnyddio fel tystiolaeth."

Disgynnodd distawrwydd llethol ar y bobl; dim ond sŵn y ci yn mynd yn wyllt wrth i heddweision eraill fynd allan drwy'r gegin i'r ardd oedd i'w glywed. Edrychai'r dyn ar y fenyw a'r fenyw ar y dyn gydag atgasedd y gellid ei deimlo ac a hongiai yn yr awyr fel rhyw ddrewdod ffiaidd a hydreiddiai'r tŷ mawr tywyll.

Yn y stryd roedd trigolion Aberdyddgu yn methu coelio ffyrnigrwydd y ddau tuag at ei gilydd.

"O'n nhw'n arfer bod mor lyfi-dyfi," meddai un o'r cymdogion wrth y ferch wrth ei hochr.

Ymateb i ddetholiad 2

Trafodwch y modd mae'r awdur yn darlunio cymeriad
– trwy gyfrwng dialog
– trwy gyfrwng disgrifiadau
– trwy gyfrwng gweithredoedd.

Trafodwch y gwrthgyferbyniad rhwng y ddwy olygfa o ran dialog a gweithredoedd.

Beth mae Mihangel Morgan yn ddweud am berthynas pobl â'i gilydd?

3. Y Ddynes Ddirgel

Yn y nofel Y Ddynes Ddirgel *mae Mihangel Morgan yn defnyddio un o ddyfeisiau'r ôl-fodernwyr sef stori o fewn stori. Ym mhennod pump mae stori o fewn stori ac mae'r awdur yn creu yn y stori fyd hollol wahanol i weddill y nofel.*

Eisteddai Marged wrth y ford, a'i phenelinoedd yn pwyso arni. Roedd hi'n smygu sigarét a roesai Owain Glyndŵr iddi er ei bod wedi rhoi'r gorau i smygu. Edrychai fel un o'r menywod yn ffilmiau Almodovar; tenau, esgyrnog, onglog, yn debycach i ddyn wedi gwisgo fel menyw. Gormod o golur. Gormod o liw. O'i chwmpas roedd 'na botel o saws coch, pecyn o Fruit 'n Fibre, bocs o laeth (a'i dop wedi'i rwygo'n anghelfydd), potel o finegr a phapurau sglodion tatws a chan o 7Up. Teimlwn fawr gywilydd o'r annibendod achos ar un adeg buasai Marged wedi dweud y drefn wrtho i am adael i'r lle fynd rhwng y cŵn a'r brain fel 'na – yn wir, go brin y buasai'r hen Farged wedi goddef ymweld â'r fath gwt mochyn o le. Cymerodd ddracht o 7Up.

"Er mwyn i mi ddweud yr hanes i gyd," meddai Marged, "rhaid i mi fynd 'nôl at y diwrnod hwnnw pan o'n i'n gweithio i'r awdures Ann Gruffydd-Jones ac ar yr un pryd yn 'neud gwaith ymchwil ar gyfer fy llyfr ar hen bethau anadnybyddedig, UFOs i chi gael gwbod. O'n i wedi cael brecwast ac o'n i'n mynd i dŷ Ann ac yn teimlo'n flin achos taw gwastraff amser oedd y gwaith, wath doedd hi ddim yn gallu sgrifennu ac o'n i fod i wrando arni yn arddweud ei storïau. A doedd dim storïau yn dod. Ond, roedd hi'n talu, storïau neu beidio, felly o'n i'n gorfod bod yno. Ac o'n i'n gyrru ar hyd y lôn yn fy hen gar bach a'm meddwl yn crwydro pan, ychydig cyn i mi gyrraedd y tŷ, mewn cae ar ochr yr heol 'ma, gwelais i'r peiriant anferth 'ma."

... Edrychais o'm cwmpas a gwelais fod y planhigion hyn yn bethau od iawn – roedd gan rai ohonyn nhw lygaid a chegau ac wynebau a breichiau a bysedd.

'Yli!' gwaeddodd Onw. 'Paid â'u cyffwr nhw – maen nhw'n cnoi 'sti. Dyro dy ddwylo yn dy bocedi cofn iddyn nhw ymosod arnach chdi.'

'Ond, pam 'ych chi'n cadw pethau fel hyn os ydyn nhw mor beryglus.'

'Mae brêns efo nhw, t'wel. Yli, well i ni'i heglu hi o'ma, cyn iddyn nhw ddechrau strancio.'

Aethon ni allan trwy ddrws hirgrwn arall ar hyd mynedfa hir eto, trwy ddrws arall i mewn i stafell fach gron. Ar y llawr, yn y canol, gorweddai peth blewog du a gwyn, chwech ochrog. Dyna'r unig beth yn y stafell.

'Dos 'laen i'w fwytho fo,' meddai Onw.

Plygais i gyffwrdd â'r peth bach ond rhedodd – os dyna'r gair – i ffwrdd ac aeth lan yr ochrau a thros y nenfwd, wyneb i waered, ar gyflymdra rhyfeddol gan wneud sŵn uchel pip-pip-pap pip-pip-pap! Chwyrliodd rownd a rownd y stafell fel 'na ugeiniau o weithiau mewn mater o funud neu ddwy, nes bod fy mhen yn troi. Yna agorodd drws bach crwn yng ngwaelod y stafell ac aeth y peth du a gwyn drwyddo rywle arall, ac ar ei ôl caewyd y drws yn glep.

'Di o'm 'n gall, sti,' meddai Onw.

'Beth oedd e?' gofynnais i.

'Nifail anwes ni 'di o. Sbalwci 'di enw fo. Wrth gwrs, robot 'di o go iawn. Ond 'di o'm callach, 'sti.'

Erbyn hyn roeddwn i'n teimlo'n flinedig ac roedd chwant bwyd arna i.

'Tisio buta?' gofynnodd Onw, wedi darllen fy meddwl, afraid dweud. 'Gad i mi ddangos un peth bach arall i chdi ac wedyn awn ni i gael rhwbath i futa i chdi.'

Dilynais y dyn bach drwy ddrws arall ac ar hyd mynedfa hir a thrwy ddrws arall eto i mewn i stafell a'i llond hi o oleuadau bach a botymau a sgriniau a chreaduriaid chwe throedfedd gwyrdd a seimllyd (chwech ohonyn nhw) fe petaen nhw'n trafod y peiriannau hyn.

'Dyma frêns y llong,' meddai Onw, ond gwnaeth y sŵn chwerthin yn ei lwnc. 'Dim y creaduriaid ych-a-fi 'ma. 'Sdim brèns 'da rhain o gwbl Y Swnthw 'di rhain, 'sti. 'Yn caethweision ni o'r blanad Swnth. Tydan nhw ddim yn dallt fawr ddim. Ond 'dan ni'n 'u trenio nhw i fyny ac maen nhw'n medru gyrru'r llong 'ma a gneud petha syml fel 'na. Ond petha gwirion, diniwad ydan nhw...'

... Yna sylwais ar rywbeth yn dod i lawr o'r nenfwd. Rhywbeth oedd yn groes rhwng llygad enfawr mecanyddol a nodwydd chwistrellu hir anferth, fel... dril deintydd angenfilaidd. Wrth i mi edrych arni aeth y nodwydd i mewn drwy bont fy nhrwyn, drwy'r asgwrn. Roedd y boen yn echrydus ond allwn i ddim symud na sgrechian na chrio. Gallwn deimlo'r nodwydd yn llosgi ac yn twrio yn fy mhen. Roedd hi'n arteithiol ac o'n i'n ofni na faswn i'n gallu goddef y boen, y baswn i'n marw yn y fan a'r lle; yn wir dymunwn farw i fod yn rhydd o'r ing. Yn sydyn tynnwyd y nodwydd o'm trwyn heb lai o boen – aeth y boen yn waeth a gweud y gwir gan 'mod i'n gallu teimlo 'nhrwyn yn chwyddo. Yna, symudodd y nodwydd-lygad i lawr 'y nghorff nes iddi ddod i aros uwchben 'y mol. Yn 'y mhen ro'n i'n gweiddi 'O na! Plîs, na!' ond allwn i ddim cynhyrchu smic o sŵn na symud. Roedd hi'n ofnadwy, yn hunllef. Yna, daeth y nodwydd i lawr yn union uwchben 'y motwm bol – ac aeth y nodwydd i mewn, yn ddwfn i mewn i 'nghorff. Unwaith eto roedd y boen yn erchyll. Teimlwn fel petawn i'n mynd i gael fy hollti'n ddau hanner, a rhaid i mi gyfaddef fe weddïais am angau fel rhyddhad o'r teimladau annioddefol hyn. Ond arhosodd y nodwydd yn fy nghanol am yr hyn a deimlai i mi fel hydoedd ar hydoedd, heb ddim yn digwydd, heb ddim lleihad na lleddfu ar ofnadwyaeth y boen. Yn uffern roeddwn i. Yna, yn sydyn, cododd y nodwydd a chaewyd y llygaid tu ôl i ddrysau yn y nenfwd. Roeddwn i'n dal i wingo nes iddi fynd yn nos arna i...

Deffroais yn yr un ystafell, ar wastad fy nghefn o hyd, ond wedi fy ngwisgo mewn siwt liw arian tebyg i ddillad y bobol bach...

Ymateb i ddetholiad 3

Darllenwch* Y Ddynes Ddirgel. *Pam y mae Mihangel Morgan wedi gosod 'stori o fewn stori' yn eich barn chi?

Trafodwch y gwahaniaeth rhwng y nofel ei hun a'r 'stori o fewn stori' o ran:

– lleoliad

– iaith ac arddull

– cymeriadau.

Darllen

Trafodwch un o'r straeon yn *Saith Pechod Marwol* gan roi sylw i'r thema a'r arddull.

Llyfryddiaeth

Storïau

Hen Lwybr a Storïau Eraill
Saith Pechod Marwol
Te Gyda'r Frenhines
Tair Ochr y Geiniog
Cathod a Chŵn

Nofelau

Dirgel Ddyn
Melog
Dan Gadarn Goncrit
Y Ddynes Ddirgel
Pan Oeddwn Fachgen
Croniclau Pentre Seimon

Eleri Llewelyn Morris

Magwyd Eleri Llewelyn Morris ym mhentref Mynytho, ac aeth i ysgol gynradd y pentre. Cafodd ei haddysg uwchradd yn Ysgol Botwnnog. Yna, mynd i Goleg y Brifysgol Caerdydd lle'r astudiodd Seicoleg, Athroniaeth a Chymraeg a graddio mewn Seicoleg. Tra oedd yng Ngholeg Caerdydd cafodd anogaeth a chefnogaeth y Dr Glyn Ashton i gymryd ysgrifennu storïau o ddifrif.

Cyhoeddodd ddwy gyfrol o straeon byrion – *Straeon Bob Lliw* a *Genod Neis*.

Hi oedd golygydd cyntaf y cylchgrawn i ferched, *Pais*. Bu'n gweithio ar ei liwt ei hun yn gwneud gwaith ysgrifennu o bob math – newyddiadura, sgriptio, llyfrau i ysgolion.

Ar hyn o bryf mae hi'n diwtor Ail Iaith yng Nghanolfan Nant Gwrtheyrn a hefyd yn un o olygyddion y papur bro *Llanw Llŷn*.

Cyflwyniad i waith Eleri Llewelyn Morris

Y Stori Fer

Mae Elizabeth Bowen yn dadlau nad tarddu o draddodiad llafar y stori y mae'r stori fer ond mai creadigaeth newydd ydyw. 'Celfyddyd ifanc ydyw: plentyn y ganrif hon (ugeinfed ganrif)' ac mae Frank O'Connor yn dweud yr un peth 'ffurf gelfyddyd fodern ydyw; hynny yw, mae'n cynrychioli yn well na barddoniaeth na drama, ein hagwedd ni tuag at fywyd'.

Dim lle i ddarlunio cymeriad yn gyflawn

Nid yw'r stori fer yn rhoi cyfle i ddatblygu a dangos cymeriadau'n llawn. Does dim amser mewn stori fer i ddangos gwahanol agweddau ar gymeriad – dim ond cipolwg brysiog a gawn. Dyw hi ddim yn bosibl darlunio cymeriadau stori fer yn amlochrog ac yn gymhleth. Meddai Islwyn Ffowc Elis, 'gorau i gyd po leiaf o gymeriadau sydd ganddo yn ei stori... yr hyn sy'n bwysig yw bod yr awdur yn gweld ei ychydig gymeriadau yn glir'.

Darlunio arwriaeth cymeriadau cyffredin

Yn wahanol i'r nofel, nid yw'r stori fer yn gwahodd y darllenydd i uniaethu â chymeriad. Yn wir, mae Frank O'Connor yn dadlau nad oes arwr yn y stori fer, 'Bob amser yn y stori fer mae'r teimlad o bobl ar herw ar gyrion cymdeithas... o ganlyniad y mae yn y stori fer, ar ei mwyaf nodweddiadol, rywbeth nad ydyn ni'n ei ddarganfod yn aml mewn nofel – ymwybod cryf o unigrwydd dyn'. Yr un yw barn Tsiecoff, 'Mae'r unigolion rwy'n sôn amdanyn nhw yn chwarae rhan ddi-nod mewn cymdeithas'. Er hyn, mae'r stori fer yn darlunio arwriaeth ac arbenigrwydd pobl gyffredin, ac mae storïau Kate Roberts yn gyson yn darlunio arwriaeth pobl gyffredin wyneb yn wyneb ag argyfwng neu galedi bywyd. Llwydda awdur da i wneud i'r cymeriadau cyffredin fod yn ddarlun o fywyd pob dyn. Meddai Tsiecoff, 'y mae pob dyn yn ficrocosm... y mae yma ddyfnder hyd yn oed os yw'r cwmpas yn gyfyng'.

Cynildeb arddull ac awgrymu yn hytrach na dweud

Mae'r gallu i awgrymu'n bwysig iawn yn y stori fer. Meddai Sean O'Faolin, 'Dweud drwy awgrymu yw un o'r pwysicaf o holl gonfensiynau'r stori fer. Os dywedir rhywbeth yn uniongyrchol ac yn blaen mae'n cymryd amser hir, ac mae'n ffordd braidd yn llafurus o drosglwyddo gwybodaeth, ac nid yw'n dal ein dychymyg na'n sylw mor gryf ag y gwna awgrym cynnil'. Crefft awgrymu yw dethol ychydig o fanylion neu ffeithiau arwyddocaol. Dethol a dewis a wna awdur y stori fer neu fel y dywed Tsiecoff, 'Rhaid i mi adael i destun hidlo drwy fy nghof hyd nes bod dim ond yr hyn sy'n bwysig neu'n nodweddiadol yn aros megis pe bai wedi ei hidlo'.

Dal yr eiliad

Gan nad oes amser i ddatblygiad plot mae'r stori fer yn tueddu i ganolbwyntio ar eiliadau o argyfwng mewnol neu allanol. Anaml y mae plot cymhleth mewn stori fer, ac nid oes cadwyn achos ac effaith megis mewn nofel. Canolbwyntio ar un digwyddiad yn hytrach na chadwyn o ddigwyddiadau a wneir. Crefft y storïwr felly yw medru gwneud i ddigwyddiadau unigol a darnau bach o brofiad fod yn symbolaidd o fywyd. Yr 'eiliadau o fod' y soniodd Virginia Woolf amdanyn nhw yw cnewyllyn y stori fer. Goleuo a chanolbwyntio a rhoi arwyddocâd i brofiadau'r eiliadau yw nerth y stori fer.

Ffurf fwy barddonol na'r nofel

Mae gwahaniaeth sylfaenol rhwng y stori fer a'r nofel. 'Mae tyndra barddonol ac eglurdeb mor hanfodol i'r stori fer fel ei bod yn bosibl dweud ei bod yn sefyll ar ffiniau rhyddiaith; mae ei defnydd o weithredu yn ei gwneud yn nes i'r ddrama na'r nofel.' Adleisiodd John Gwilym Jones hyn pan ddywedodd, '*Genre* sy'n perthyn yn agos iawn at farddoniaeth yw stori fer'. Mae'r stori fer yn nes at farddoniaeth oherwydd mae defnydd o symbolaeth a delweddau symbolaidd a hyd yn oed iaith farddonol yn bwysig. Does dim gwell enghraifft o allu awgrymog a barddonol y stori fer na *Y Meirw* gan James Joyce, lle mae'r storïwr yn defnyddio dyfeisiau barddonol megis ailadrodd a symbolaeth.

Undod organig y stori fer

Rhaid i stori fer fod yn undod – un-darn organig, clos. Rhaid i gnewyllyn neu ganol y stori ganolbwyntio ar un peth – un naws, un digwyddiad, un profiad, un teimlad. Meddai Kate Roberts, 'rhyw un profiad neu un fflach o oleuni ar un peth neu gyfres o bethau yn perthyn yn agos i'w gilydd'. Gellir newid ffocws neu hyd yn oed naws a theimlad fel y gwna Kate Roberts yn *Gorymdaith*, ond rhaid cadw'r undod. Undod cryno, cynnil yw hanfod y stori fer.

Cyfweliad Eleri Llewelyn Morris

Dywed Frank O'Connor nad oes 'arwr' traddodiadol yn y stori fer ond ei bod hi'n tueddu i ddarlunio arwriaeth pobl gyffredin. Ydy hyn yn wir am eich cymeriadau chi?

Mae llawer o fy mhrif gymeriadau'n bobl anffodus, gwahanol – pobl rwy'n cydymdeimlo â nhw. Maen nhw'n bobol sy'n cael cam mewn rhyw ffordd, pobol sydd ddim yn cael eu derbyn, am ryw reswm, gan gymdeithas. Bwlio yw prif thema 'Eli Brown' yn sicr. Hyd yn oed mewn straeon eraill mae yna fwlio ond bod y bwlio'n fwy cyfrwys a llai amlwg. Yn 'Mae'n Ddrwg Gen i Joe Rees' rwy'n condemnio'r modd mae pobol yn trin pobol anffodus fel Joe Rees ac yn beirniadu fy hun hefyd am fethu gwneud dim.

Fyddech chi'n dweud mai tosturi at bobol anffodus yw'r brif thema yn eich gwaith?

Dwy ddim yn fwriadol wedi mynd ati i sgrifennu am y bobol yma – ond rwy'n uniaethu â nhw. Bydd rhywbeth yn fy ysgogi i i sgrifennu stori bob hyn a hyn ac, yn amlach na pheidio, rhyw brofiad yn ymwneud â 'phobol anffodus' fydd hynny. Felly mae'n amlwg bod y thema yma yn apelio ata i. Darlunio trasiedi ydw i – achos does dim achubiaeth i'r cymeriadau hyn. Yn 'Genod Neis' rwy wedi darlunio trasiedi bywyd un person a'r hyn ydw i'n geisio'i ddweud yw mor debyg ydyn ni i gyd yn y bôn. Rydyn ni i gyd angen ein breuddwydion – a'r breuddwydion hynny mor aml yn cael eu torri a'u chwalu. Er hyn mae'r cymeriad yn dal i lynu wrth ryw freuddwyd. Fe wnes i adeiladu'r darlun fel bod gwrthgyferbyniad rhwng pa mor hardd a deniadol roedd Julie'n ifanc, a'i chyflwr hi ar ôl yr holl flynyddoedd.

Pa elfennau yn y stori fer sy'n apelio atoch?

Yn ôl rhai, telyneg mewn rhyddiaith ydy stori fer, yn adrodd stori syml sydd hefyd yn cyfleu neges ddwys, a honno'n berthnasol i bawb. Cofiaf Irma Chilton yn dweud na ddylai'r neges fod yn oramlwg, *'dim ond bod yno fel halen mewn cawl: o'r golwg, ond yn rhoi blas i'r cyfan'*. Yn sicr, roeddwn i'n teimlo bod pob un o'r sylwadau roeddwn i am eu gwneud am bobol yn rhyw fath o neges, a'r dymuniad i gyfleu'r neges honno a'i rhannu hi efo pobol eraill ydy'r prif beth sydd wedi fy symbylu i i ysgrifennu.

Oes rhaid i'r stori fer ganolbwyntio ar un digwyddiad a cheisio defnyddio'r un peth hwnnw i ddweud y neges?

Fe ddywedodd Kate Roberts: *'Mae'r seren wib yn ddisgrifiad o'r hyn y ceisiais i ei ysgrifennu: rhyw un profiad, neu un fflach o oleuni ar un peth neu gyfres o bethau yn perthyn yn agos i'w gilydd'*. Rwy'n credu fod hynny'n wir ac fe ddywedodd hi hefyd bod y stori fer *'yn rhoi'r cyfle i chi i droi'r sbotyn gola na ar ryw un peth; yn taflu goleuni ar yr un peth bach yna sydd wedi fy niddori i'*. Fe ddewisais i'r stori fer am yr un rheswm â Kate Roberts am ei bod yn canolbwyntio sylw ar un peth rwy eisiau ei ddweud a'i ddarlunio. Yr hyn y byddaf yn ceisio ei wneud mewn stori ydy cael y *'sbotyn gola'* ar yr un peth yna yr ydw i eisiau ei ddangos i ddarllenwyr.

Fyddai hi'n wir dweud bod eich straeon chi i gyd yn deillio o'ch profiadau chi eich hun?

Daw fy syniadau am straeon i gyd o'm profiad fy hun: o bethau sydd wedi digwydd i mi neu i bobol o'm cwmpas. Fel arfer fe fydd mwy nag un peth wedi digwydd yn fy mywyd i cyn i mi gael syniad am stori. Bob amser, fe fydd gen i lawer o bethau bach y mae pobol wedi'u dweud neu wedi'u gwneud yn fy meddwl – ac yno y byddan nhw'n aros nes i un peth arall ddigwydd i ddod â nhw at ei gilydd i sbarduno'r syniad am stori.

Rhowch enghraifft o'r ffordd y bydd eich profiadau chi'n cael eu troi'n stori fer.

Yn gyntaf wrth gwrs mae'r profiad yn

digwydd. Nos Sadwrn oedd hi. Roedd fy ffrind a minnau'n aros am y bws i fynd adref o'r dref pan ddaeth gwraig feddw atom. Roedden ni'n ei nabod hi gan ei bod yn byw yn yr un pentref â ni, ac yn gwybod ei bod wedi cael bywyd caled. Erbyn hyn, roedd wedi gadael iddi hi ei hun fynd, nes ei bod yn flêr ac yn fudur ac yn drewi. Wedi bod yn gweld ffilm oedd hi, meddai hi: *'Ffilm grêt am ryw hogan ddel efo lot o bres a dillad crand a digon o gariadon'*. Yna aeth ymlaen i ddweud, *'Y fi oedd hi, ti'n gweld. Mi o'n i'n gweld fy hun yn udrach 'run fath â hi ac yn gwisgo 'i dillad hi, ac yn cael ei chariadon hi a... wyt ti'n dallt?'*

Wnes i ddim ateb ar unwaith ac meddai hi wedyn, wedi camddeall fy nhawelwch, *'Hm! Nag wyt, wrth gwrs; dwyt ti ddim yn dallt hynny! Fasat ti byth yn dallt!'*

Yr eiliad yr ynganodd hi'r geiriau yna: *'Fasat ti byth yn dallt!'* cefais syniad am stori fer. I feddwl ei bod hi'n meddwl na fedrwn i ddim deall. A minnau wedi byw cymaint yn fy nychymyg ar hyd f'oes. Yn wir, y rheswm pam nad atebais i hi ar unwaith oedd am fy mod yn cofio fel y byddwn i'n dychmygu fy hun fel un o ferched hŷn y pentref pan oeddwn i'n hogan fach – merch ifanc hardd efo dillad crand a digon o gariadon. A phwy feddyliech chi oedd y ferch ifanc honno? Y wraig feddw a safai o'm blaen.

Ar ôl i'r profiad ddigwydd fe ddaw'r broses greadigol – sef defnyddio'r profiad i ddweud rhywbeth sylfaenol. Gwnaeth ei geiriau i mi feddwl cyn lleied yr ydym ni'n ei wybod am ein gilydd – ac eto mor debyg yr ydyn ni i gyd yn y bôn. Roedd meddwl hynna'n ddigon. Yn yr achos yma, fe ddaeth dau beth at ei gilydd i roi'r syniad i mi am stori: un oedd y profiad o fod wedi addoli'r ferch yma am flynyddoedd pan oeddwn i'n blentyn a dychmygu mai hi oeddwn i – a'r llall oedd y profiad o'i chyfarfod hi eto yn y dref y nos Sadwrn honno a'r hyn ddaru hi ei ddweud. Ond roeddwn i wedi cael mwy na dim ond dau ddarn o brofiad, achos i mi roedden nhw wedi cyfuno i ddweud rhyw fath o neges. Roedd 1 ac 1 wedi gwneud 2+, ac roedd gen i syniad am stori fer.

Ydy troi'r syniad yn stori yn broses anodd?

Ydy, mae gweithio'r syniad yn stori yn gallu bod yn anodd. Y gamp ydy dangos yr hyn sydd arnoch chi eisiau ei ddweud, heb ei ddweud o. Dydw i ddim yn llwyddo i wneud hynny bob amser, ond o leiaf dyna ydy'r nod: 'dangos' nid 'dweud'. Mae'r broses yma yn medru cymryd amser hir.

Fe ddywedodd Irma Chilton wrth drafod y stori fer, *'Mae'n rhaid i awdur gonsurio holl oblygiadau'r digwyddiad sy'n ganolbwynt i'w hanes. Mae'r consurio'n cymryd amser, i mi, o leiaf. Fe ddaw syniad o ryw brofiad pendant ac fe fydd yn crafu wrth waelod yr ymwybod am wythnosau neu fisoedd. Ymhen hir a hwyr, fe drawa i'r stori i lawr, mewn llawysgrif. Mewn wythnos neu ddwy ar ôl hynny, grymusaf y dweud a'i theipio. Yna ei chadw neu ei thaflu, yn ôl ei gwerth.'*

Pa fath o bethau byddwch chi'n rhoi sylw iddyn nhw wrth gynllunio stori fer?

Pobol yw'r prif beth. Ar ôl cael syniad am stori fe fydda i'n mynd ati hi i gynllunio sefyllfa artiffisial, ac yn llenwi'r sefyllfa honno efo pobol, gan feddwl amdanyn nhw fesul cymeriad:

Sut rai ydyn nhw?

Pa nodweddion sy'n perthyn iddyn nhw?

Sut buasen nhw'n ymateb i'r digwyddiadau yn y stori?

Sut buasen nhw'n siarad?

Sut eirfa fyddai ganddyn nhw?

Oes ganddyn nhw eu hoff ymadroddion?

Ond yn bennaf oll, mae'n rhaid meddwl beth sydd rhaid iddyn nhw ei wneud a'i ddweud er mwyn cyfleu neges y stori; er mwyn dangos yr hyn sydd arnaf i eisiau ei ddweud.

Rhaid i awdur stori fer fod yn gynnil. Sut fyddwch chi'n gwneud hynny?

Wedi i mi gynllunio stori fe fydda i'n ei theipio hi o'r dechrau i'r diwedd yn fras ac wedyn fe fydda i'n mynd ati i'w naddu hi!

Mae drafft cyntaf pob stori sgrifennais i erioed yn ofnadwy o hirwyntog, ac fe fyddai gen i gywilydd ei dangos i neb. Ond mae'r drafftiau sy'n dilyn yn fyrrach ac yn fyrrach bob tro. Gwelaf y broses yn debyg i fel y bydd cerflunydd yn naddu cerflun allan o dalp mawr di-siâp o garreg. Mae hi'n llawer haws dweud rhywbeth yn hirwyntog a chwmpasog a blêr na dweud yr un peth yn union yn gynnil ac yn gryno ac yn dwt. Y gamp ydy dweud mwy trwy ddweud llai.

Beth am agoriad stori – fyddwch chi'n ceisio cael agoriad trawiadol?

Fe fydda i'n ceisio cael brawddeg agoriadol drawiadol a fydd yn hoelio sylw'r darllenydd o'r dechrau. Yn aml, fe fydda i'n dechrau stori rywsut-rywsut er mwyn cychwyn arni, ac yna'n dod yn ôl at y dechrau i geisio cael brawddeg agoriadol gryfach. Rwy'n hoff o ddefnyddio'r annisgwyl i ddechrau stori:

> Noson las oedd hi.
>
> Bath ciwb ydw i.

Bryd arall mae'r dewis o eiriau yn y llinellau cyntaf yn ceisio crynhoi holl naws stori megis dechrau'r stori 'Koshka':

> Dechreuodd Koshka grynu o'r funud y cychwynnodd y trên... tywyllwyd ei llygaid gan ofn.

Rhaid i'r dechrau fagu chwilfrydedd er mwyn i'r darllenydd fod eisiau darllen rhagor.

Beth am y diweddglo? Mae hi'n dipyn o gamp cloi stori'n gryno.

Fe fydda i'n hoffi clymu'r diweddglo gyda'r cychwyn. Rwy'n hoffi trefn – cael bod yn gryno ac yn grwn.

Un dechneg yw ailadrodd geiriau neu ddelwedd allweddol o ddechrau stori ar y diwedd. Rwy wedi gwneud hynny mewn nifer o straeon megis 'Eli Brown' a 'Twm Tatws'.

> Gallwn weld Bron Pwll o ffenest llofft ein tŷ ni... Fyddai nain Eli byth yn cau'r drws... rhoddai hyn olwg gyfeillgar i wyneb y tŷ, fel pe bai'n chwerthin â'i geg yn llydan agored... pan fyddai'r haul ar fachlud byddai swigan felyngoch ohono yn cael ei dal gan ffenest lofft Bron Pwll, nes gwneud i'r tŷ edrych fel pe bai'n wincio ar ein tŷ ni.

Yna ar ddiwedd y stori:

> Mae Eli wedi marw. A bore heddiw, dw i'n methu tynnu fy llygaid oddi ar Fron Pwll. Mae nain Eli wedi cau'r llenni a chau'r drws. Mae hi wedi mygu'r tŷ fel na fedr o ddim gwenu na wincio ddim mwy.

Ambell waith fe fydda i'n creu gwrthgyferbyniad rhwng dechrau a diweddglo stori er mwyn ceisio dangos y dadrithiad neu newid agwedd a ddigwyddodd yn ystod y stori. Dyna a geir yn 'Y Dyn yn y Parc':

> Safai'r dyn marmor yn dal ac urddasol ar ei bedestl... edrychai i mi fel pe bai'r adar yn moesymgrymu'n isel iddo wrth hedfan heibio.

Y diweddglo:

> Wrth i mi edrych ar y dyn marmor o'm blaen, sylwais yn sydyn ei fod yn fudur ofnadwy. A deallais o'r diwedd y pris yr oedd yn rhaid iddo ei dalu am gael sefyll ar ei bedestl yn y parc uwchlaw pawb arall: roedd yr adar i gyd yn cael gwneud eu busnes am ei ben.

Mae eich straeon yn codi o brofiad personol – ai dyna pam rydych chi'n defnyddio dull naratif y person cyntaf mewn cymaint ohonyn nhw?

Ia. Mae pob stori rwy wedi ei sgrifennu yn hunangofiannol i ryw raddau. Mae yna ryw gnewyllyn bach o brofiad personol ymhob un, ond ambell dro dydy o ddim ond rhywbeth roedd rhywun wedi'i ddweud rywbryd. Mantais mawr dull naratif y person cyntaf yw gallu mynd yn nes at y prif gymeriad ei hun.

Beth am y defnydd o ddialog yn y stori fer?

Rhaid i'r dialog fod yn bwrpasol. Bob hyn a hyn rwy'n teimlo bod y stori angen dialog. Mae fel newid gêr car – dach chi'n dod i deimlo pryd mae angen newid.

Weithiau mae gosod dialog yn gallu creu effaith arbennig, er rhaid bod yn wyliadwrus rhag ei orddefnyddio.

Rhaid i ni sôn am yr hiwmor yn eich storïau.

Mae cyfuno hiwmor a thrasiedi mewn stori yn gallu bod yn beth grymus iawn. Gan fy mod i'n ceisio cyfleu dyfnder anobaith yn rhai o fy straeon i, fe fydda i'n ceisio dod â rhywfaint o hiwmor iddyn nhw hefyd os ydy hynny'n briodol er mwyn cadw cydbwysedd a'u hatal rhag mynd yn rhy drwm. Dyna oeddwn i'n ceisio'i wneud yn y stori 'Cyrtans': roeddwn yn teimlo bod angen elfen o hiwmor i ysgafnhau'r stori hon a dyna un rheswm dros gynnwys y brain – pob un â 'wen' ar ddiwedd ei henw: Cranogwen, Madogwen.

Byddwch yn defnyddio symbolaeth yn eich gwaith – ydy hynny'n cryfhau'r neges?

Mae'n gallu gwneud hynny, yn sicr. Anaml y byddaf i'n defnyddio cymeriadau'n symbolaidd ond mae'r cymeriadau yn 'Mae'n Ddrwg Gen i Joe Rees' yn symbolau o gymdeithas galed ddi-hidio sy'n anwybyddu pobl llai ffodus – *'dynas yr het fawr', 'dyn yr ambarél fain'* a'r *'merched cyrliog'*.

Weithiau fe fydda i'n defnyddio gwrthrych yn symbolaidd. Mae'r ddelw yn y parc yn y stori 'Y Dyn yn y Parc' yn enghraifft o hyn. Yr hyn sy yn y stori yw'r pris y mae'n rhaid ei dalu am fod yn enwog – fe gewch chi faw ar eich pen run fath â'r ddelw. Mae arna i ofn bod yn berson amlwg. Os ydych chi am fod yn enwog rhaid i chi dderbyn y byddwch chi'n gocyn hitio i bawb.

Enghraifft arall o ddefnyddio gwrthrych yn symbolaidd yw'r stori 'Cyrtans' lle mae'r llenni wedi cau adeg angladd er mwyn dangos parch yn symbol o gymdeithas Gymraeg a'i harferion yn newid, *'Doedd llenni'r un o'r tai wedi eu cau'r diwrnod hwnnw'*. Mae'r ffaith fod y llenni ar agor adeg angladd yn symbol o farwolaeth y pentref ei hun ac yn cael ei gyfleu yn y ddelwedd sy'n cloi'r stori.

> Gwelodd y brain fod y cyrtans terfynol yn cael eu tynnu dros y pentref bellach.

Mae'r stori fer yn ei hanfod yn gyfrwng symbolaidd – mae pob person a sefyllfa'n gallu bod yn symbolaidd neu gynrychioli'r hyn sy'n wir am ein bywydau ni i gyd. Dyna i chi'r wraig yn 'Tic Toc'. Mae thema gwastraffu amser yn holi am ystyr bywyd yn lle byw bywyd a hefyd byw bywyd drwy bobl eraill yn lle byw ei bywyd ei hun – mae hyn yn wir am bob un ohonon ni. Mae hi'n gwastraffu ei bywyd yn gwylio pobol eraill yn byw – run fath ag y bydd pobol yn edrych ar y teledu yn gwylio eraill yn byw yn hytrach na gwneud y peth eu hunain.

Yn y stori 'Anrheg Nadolig' mae'r bath ciwbs sy'n cael eu rhoi'n anrheg dro ar ôl tro yn symbol o ragrith a ffârs ein Nadolig.

Yn y stori 'Koshka' mae ofn y gath o'r daith ar y trên yn symbol o ofn dyn ar ei daith drwy fywyd. Fe gefais i fy magu'n gapelaidd iawn: mynd i'r capel dair gwaith ar y Sul. Pan oeddwn i tua deuddeg oed fe wnes i ddechrau holi'r cyfan a meddwl ac fe ddechreuais i holi a oedd sail i'r holl bethau yma am Iesu Grist, angylion ac yn arbennig a oedd bywyd wedi marwolaeth. Holi rhieni ac eraill a'r unig ymateb oeddwn i'n ei gael oedd i beidio gofyn cwestiynau. Yn bedair ar ddeg fe wnes i ddod i'r casgliad, ryw noson ar fy mhen fy hun, nad oedd yna ddim Duw, a bod y cyfan oedd wedi ei ddysgu i mi'n blentyn yn rwtsh – yn ddychymyg hollol a dim byd arall. Fy syniad i o Dduw, pan oeddwn i'n blentyn, oedd rhyw greadur dychrynllyd ofnadwy â'i fryd ar ein cosbi o hyd, ond pan es i i feddwl nad oedd o ddim yn bod – wel, roedd hynny'n fwy dychrynllyd fyth. Roedd y syniad ein bod ni, fodau dynol, ar y ddaear heb neb na dim byd mwy na ni'n hunain yn codi arswyd go iawn arna i.

Roedd gen i gath o'r enw Koshka yn y fflat yng Nghaerdydd pan oeddwn i yn y coleg ac roeddwn i'n mynd â hi adre ar y trên efo fi amser gwyliau, ac roedd hi wastad yn mynd yn sâl ar y trên. Fe ges i'r syniad bod y gath ar daith mewn trên run fath â pherson ar daith drwy fywyd. Bod yr ofn roedd Koshka'n ei deimlo ar y trên run fath â'r ofn oedd gen i o fod ar fy mhen fy hun ar fy nhaith drwy fywyd. Roeddwn i'n gwybod bod 'na le saff, sef adre, ar ben y daith – ond wyddai Koshka ddim o hynny a doedd dim modd i mi roi gwybod iddi. Teimlo mor braf fyddai cael yr un sicrwydd mewn bywyd – bod yna rywle saff, braf ar ben y daith, er na fedrwn ni gael gwybod hynny yn ystod ein bywydau.

Rydych chi wedi defnyddio thema pwysau cymdeithas arnon ni i gydymffurfio mewn mwy nag un o'ch straeon.

Do, dyna sydd yn 'Noson y Fodrwy' y pwysau sydd arnon ni i gydymffurfio mewn gwahanol ffyrdd. Rydyn ni i gyd yn euog ohono fo – mae cymdeithas yn rhoi pwysau arnon ni i wneud pethau na ddylen ni ddim. Dyw Sulwen ddim eisiau priodi. Yr un fath yn y stori 'Noson a Bore'. Mae i bob oes ei rheolau ei hun. Rydyn ni'n meddwl ein bod ni'n rhydd ond mae 'na ryw orfodaeth arnon ni i wneud pethau. Dydyn ni ddim yn rhydd rhag pwysau cyfoedion, arferion, defodau, pwysedd cymdeithasol, ac rwy'n gofyn beth yw rhyddid? Rydyn ni'n meddwl ein bod ni'n rhydd ond rydyn ni'r un mor gaeth heddiw ag erioed ond i bethau gwahanol.

Mae modd cyfuno mwy nag un thema mewn stori. Yn 'Yr Hen Gi' fe geir yr un neges am bwysedd cymdeithasol ond hefyd thema arall sef pwysigrwydd byw bywyd llawn. Roedd 'na ddyn yn byw yn yr ardal yma pan oeddwn i'n blentyn, ac fe glywais i Mam a'i ffrind yn ei drafod o a'i anturiaethau efo gwahanol ferched ac yn dweud ei fod o'n 'hen gi'. Rwy'n cofio un diwrnod, flynyddoedd lawer wedyn, gweld y dyn yma yn defnyddio pulpud (sef ffrâm gerdded) am ei fod wedi mynd yn fethedig. Roeddwn i'n meddwl mor fyr yw bywyd ac felly ei bod yn bwysig byw bywyd llawn tra medrwn ni. Rhaid osgoi ymwrthod â gwneud hynny oherwydd ofn peidio cydymffurfio â gofynion pobl eraill.

Beth am rai o'r themâu eraill yn eich gwaith chi?

Mae thema dadrithiad tu ôl i 'Colli Nabod'. Mae hon wedi'i seilio ar brofiad go iawn pan oeddwn i tua dwy ar bymtheg oed. Prynodd bachgen ifanc, oedd yn eilun i mi o bell, bryd hynny, gar cyflym a chael damwain ofnadwy. Roeddwn i wedi torri fy nghalon ac rwy'n cofio gweddïo y byddai'n cael byw. Yn nes ymlaen fe ddeuthum i'w adnabod ac fe fuon ni'n mynd allan efo'n gilydd am sbel – a dyna ddod i sylweddoli nad oedd o ddim y person roeddwn i wedi dychmygu iddo fod. Mae bywyd yn gallu lladd yn fwy effeithiol na marwolaeth. Os ydych chi'n colli rhywun agos rydych yn cofio am y person yna gydag anwyldeb am byth, ond mae realiti creulon bywyd yn gallu lladd y cariad rydyn ni'n ei deimlo am ein gilydd ac felly yn ein gwahanu yn ddyfnach na marwolaeth. Peth creulon iawn yw cael eich dadrithio mewn pobol, yn enwedig y rhai rydych chi'n eu caru.

Beth yw thema'r stori 'O Dan y Croen'?

Pan oeddwn i yn y coleg yng Nghaerdydd fe wnes i gyfarfod bachgen tywyll ei groen o'r enw Ben oedd yn fyfyriwr meddygol, ac fe fues i'n mynd allan efo fo am flwyddyn. Fe ddaeth i aros i Fynytho dros y Nadolig ac roedd ymateb rhai pobol yn y pentre yn anhygoel – roedd yn sgandal! Cofiaf un gymdoges yn dweud wrtha i, 'Dw i'n synnu atat ti – yn mynd efo dyn du!' Beth ro'n i'n ceisio'i ddweud oedd nad oedd y ddau yn y stori yn gwpwl addas – ond nid oherwydd bod lliw gwahanol ar eu crwyn. Y ffaith eu bod o gefndir a diwylliant gwahanol a heb dir cyffredin sy'n dod rhyngddyn nhw.

Beth am 'Dieithryn?

'Y Lleidr' ydy teitl iawn y stori yma. Cafodd ei newid i 'Dieithryn' gan olygydd heb i mi wybod ac ro'n i'n lloerig pan welais i hi wedi ei chyhoeddi felly! Fe gefais i brofiad personol o ymosodiad fel yn y stori pan oeddwn i'n byw yng Nghaerdydd. Neges y stori yw bod y lleidr wedi dwyn mwy nag arian – sef dwyn hyder ac ymddiried person.

Detholiadau o waith Eleri Llewelyn Morris

1. Noson y Fodrwy

Yn y stori fer 'Noson y Fodrwy' mae Sulwen yn dathlu ei dyweddïad mewn tafarn win gyda'i chariad Aled. Wrth edrych ar ei 'modrwy newydd ar drydydd bys ei llaw chwith' mae hi'n gweld llawer o wynebau sy'n creu atgofion a golygfeydd gwahanol.

Dacw hi Cadi Cae Ffynnon unwaith eto, a Hannah Tŷ'r Ardd a dwsin arall o'r cymdogion yn ymwthio am le yn y garreg ddiamwnt. Maen nhw'n dew iawn, hefyd, fel twrcwns wedi eu pesgi ar gyfer y Nadolig, a'r un mor swnllyd. Merched canol oed, di-siâp, pob un gyda modrwy aur ar ei bys priodas, a'r cnawd wedi chwyddo'n goch o bobtu iddi. Hon yw'r drwydded i bopeth yn eu cymdeithas; hi yw'r dystysgrif sy'n dweud wrth y byd: LLWYDDODD HON I GAEL GŴR. Ond nid yw eu gwŷr na'u boliau tewion yn gallu llenwi eu bywydau bach. Disgwyliant i rai fel fi wneud hynny. Maen nhw'n disgwyl i mi briodi ers talwm er mwyn dod â rhywfaint o newyddion i'r pentref, ac ychydig o ramant i'w bywydau. Ond mae'r ffaith fy mod bron â chyrraedd pump ar hugain erbyn hyn, a hynny heb ŵr wrth f'ochr, hefyd yn destun oriau difyr o drafod iddynt. Maen nhw'n fanc o straeon, yn gwybod hanes pawb ac ofn colli dim.

Yr holi sy'n fy mlino i fwyaf, y cwestiynau a'r croesholi.

"Be' amdanoch chi, Sulwen? Oes gynnoch chi rywun?"

"Be' 'dy'ch hanas chi, Sulwen? 'Ydach chi'n canlyn be – rŵan?"

(Bu bron iddi ddweud 'bellach' yn lle 'rŵan'.)

"'Ro'n i'n clwad gin 'ch mam fod gynnoch chi rywun tua Chaer. Ble ydach chi'n 'i guddiad o, 'dwch? Dowch â fo i'w ddangos."

"Dydi hi ddim yn bryd i ti chwilio am ŵr, dŵad? 'Ta hen ferch fel dy fam wyt ti am fod?"

Hen ferch fel dy fam. Mae honno'n ryw fath o jôc i fod, ac mae Cadi yn chwerthin yn galonnog wrth ei dweud. Ond crïo fydda' i wrth feddwl am y cwestiynau, unwaith y byddaf ar fy mhen fy hun yn f'ystafell.

Ust! Mae yna ryw gyffro! Maen nhw'n siarad yn wylltach nag arfer. Mae'n rhaid eu bod nhw wedi cael rhyw newydd. Mae pawb o gwmpas Hannah Tŷ'r Ardd, ac mae hithau'n dweud ei bod wedi clywed fy mod i yn canlyn 'o ddifri'. Maen nhw'n fy holi i'n fwy nag erioed yn awr wrth gwrs – holi yw hanfod eu sgwrs – ond mae natur eu cwestiynau yn wahanol. Mae'n haws gen i ateb y rhain.

"Clwad 'ch bod chi'n canlyn. Un o ble ydi o? Cymro? O, neis awn, wir. A be' mae o'n 'i neud? O, reit dda."

"Oes 'na *engagement* am fod?"

Dacw hi Cadi Cae Ffynnon yn fy aros y tu allan i'w thŷ, ar ôl i Mam ddweud wrthi am y dyweddïad.

"Pryd ma'r diwrnod mawr? 'Oes 'na briodas fawr am fod? Mewn gwyn?"

A dyma Hannah allan o'i thŷ hithau.

"Pryd ydach chi'n joinio'r clwb, Sulwen?"

Mae pawb yn sôn am y briodas yn barod, a minnau ond prin wedi dyweddïo. 'Dw i'n cofio, pan briododd Rhiannon, roedd pobl yn disgwyl iddi gael babi cyn i luniau'r briodas ddod allan. Pam na chaiff un peth lonydd i ddigwydd cyn bod rhaid rhuthro i'r nesaf? Pam mae'n rhaid i ni redeg ras trwy gydol ein bywyd, neidio dros y clwydi o gael ein geni, mynd i'r ysgol, chwilio am gariad, dyweddïo, priodi, cael plant, ac yna, pasio'r ffagl i'r rheiny gario ymlaen? Rhuthro a rasio, a hynny heb fod brys.

Mae Cadi a Hannah yn cael blas ar fy nhrafod wedi i mi fynd heibio, beth bynnag.

"Dydi hi'n cael fawr o *match*, cofiwch. Mae Leus yn 'nabod 'i deulu fo'n iawn. Pobol ddigon cyffredin ydyn nhw, ond mae o i'w weld yn hogyn bach reit neis."

"Ydi. Hogyn bach call, ynte? A rhyngddoch chi a fi, mi fu hi'n lwcus iawn i'w gal o."

Ymateb i ddetholiad 1

Themâu

Darlun a gawn yma o'r pwysedd cymdeithasol sydd ar ferch i briodi er mwyn cydymffurfio â chonfensiynau cymdeithas. Y thema yw gormes cymdeithas ar yr unigolyn i gydymffurfio heb hidio am les yr unigolyn.

Cymeriadau

Does dim lle mewn stori fer i ddangos cymeriad yn datblygu a dyw cymeriadau mewn stori fer ddim mor ddwfn a chrwn â chymeriadau nofel. Cipolwg yn unig a geir ar y cymeriadau.

Yn y stori yma mae cymeriadau byw, real sy'n cael eu darlunio yn ddychanol. Defnyddiodd yr awdur y cymeriadau fel symbolau o bwysedd cymdeithas ar yr unigolyn i gydymffurfio.

Dialog

Does dim lle i lawer o ddialog a rhaid i'r dialog fod yn gynnil ac awgrymog. Er mwyn cyfleu'r pwysedd cyson ar yr unigolyn i gydymffurfio mae Eleri Llewelyn Morris yn ailadrodd yr un cwestiwn mewn ffurf wahanol.

> "Be' amdanoch chi, Sulwen? Oes gynnoch chi rywun?"
> "Be' 'di'ch hanas chi, Sulwen? 'Ydach chi'n canlyn be – rŵan?"
> "Ro'n i'n clwad gin 'ch mam fod gynnoch chi rywun tua Chaer. Ble ydach chi'n 'i guddiad o, 'dwch?
> "Dydi hi ddim yn bryd i ti chwilio am ŵr, dŵad? 'Ta hen ferch fel dy fam wyt ti am fod?"

Er mwyn dangos bod y pwysedd yn llethol fe geir **ailadrodd cwestiynau** ar ôl iddi ddywedďio eto:

> "Un o ble ydi o?
> Oes 'na *engagement* am fod?
> Pryd mae'r diwrnod mawr?
> Pryd ydach chi'n joinio'r clwb, Sulwen?"

Nid yn unig hyn ond mae yna lymder a chreulondeb yn y sylwadau sy'n pwysleisio mor niweidiol yw'r pwysedd yma ac mae'n tanseilio hyder yr unigolyn i sefyll yn ei erbyn:

> "Ta hen ferch, fel dy fam, wyt ti am fod?"
> "Mewn gwyn?"
> "Mi fu hi'n lwcus iawn i'w ga'l o."

Adeiladwaith pendant

Mae adeiladwaith pendant yn un o nodweddion straeon Eleri Llewelyn Morris. Yn y stori yma mae hi'n creu undod rhwng mân olygfeydd drwy gael Sulwen i weld wynebau gwahanol yn y fodrwy:

> "... gallai weld wyneb Mam yn edrych yn ôl arni."
> "Dacw hi Cadi Cae Ffynnon..."
> "Merched sydd yn llenwi'r garreg..."
> "... dyna fo Aled yn edrych arni o'r garreg."

Dull naratif a llif meddyliau

Defnyddir dull naratif y person cyntaf. Sulwen sy'n adrodd y stori ac mae hyn yn ein galluogi i fynd i mewn i'w meddyliau a dangos ei hofnau a'r ffaith nad yw hi mewn gwirionedd eisiau priodi. Dim ond priodi oherwydd pwysau cymdeithas y mae hi. Does dim amheuaeth fod y llif meddyliau'n dangos agwedd yr awdures at bwysedd cymdeithas megis yn y darn yma:

> "Pam na chaiff un peth lonydd i ddigwydd cyn bod rhaid rhuthro i'r nesaf? Pam mae'n rhaid i ni redeg ras trwy gydol ein bywyd, neidio dros y clwydi o gael ein geni, mynd i'r ysgol, chwilio am gariad, dyweddïo, priodi, cael plant, ac yna, pasio'r ffagl i'r rheiny gario ymlaen."

Defnyddia'r dull naratif person cyntaf yn effeithiol a dramatig,

> Dacw hi...
> Ust! Mae yna ryw gyffro!

Arddull

Does dim lle i wastraffu geiriau mewn stori fer. Rhaid osgoi disgrifiadau hir o gymeriadau a golygfeydd. Rhaid awgrymu yn hytrach na dweud. Yn ôl John Gwilym Jones mae awdur stori fer "yn trin geiriau... fel bardd er mwyn eu hawgrymiadau a'u cysylltiadau."

Defnyddia Eleri Llewelyn Morris gyffelybiaeth ac ansoddeiriau annymunol er mwyn dychanu'r gwragedd. Mae'r cyfan yn gynnil ac yn grefftus iawn:

> "Maen nhw'n dewion, hefyd, fel twrcwns wedi eu pesgi ar gyfer y Nadolig, a'r un mor swnllyd. Merched canol oed, di-siâp."

Detholiadau o waith Eleri Llewelyn Morris

2. Genod Neis

Wrth i ni gerdded o'r capel i'r caffi i gael te, pwy a hwyliodd i lawr y stryd i'n cyfarfod, mewn ffrog haf binc, law yn llaw â bachgen tal, tywyll a golygus mewn iwnifform las, ond Julie. Ni ddywedodd air wrth yr un ohonom wrth fynd heibio, ond rhoddodd wên a winc fawr arnaf i.

"Welsoch chi'r Julie 'na?" meddai un o'r merched ar ein bwrdd ni wrth i ni gael te. "Toes 'na olwg arni hi, dwch? A phwy oedd y cariad, tybad? Rhywun newydd eto! Tydi hi'n 'u newid nhw'n amal!"

"Wel," meddai un o'r merched eraill, "mi glywis i y diwrnod o'r blaen 'i bod hi'n mynd efo hogyn o'r dre 'ma sy'n beilot efo'r RAF..."

Fe wyddwn y byddai Julie ac yntau yn priodi, wrth gwrs. O'r funud gyntaf i mi ei weld yn y dref, gwyddwn mai hwn oedd y tywysog tal, tywyll a golygus y bûm yn disgwyl i Julie ei gyfarfod erioed. Ni chefais fy siomi. Un noson, er llawenydd mawr i mi, daeth y ddau draw i'r Mans i ofyn i 'Nhad eu priodi!

Cafodd Julie briodas go iawn. Cyrhaeddodd y capel mewn car mawr, crand, yn gwisgo ffrog wen laes at ei thraed, a fêl wen dros ei hwyneb. Yr oedd ei thair chwaer yn forynion iddi, a merch Irene yn forwyn fach. A phan ddaeth hi allan o'r capel ar ôl y gwasanaeth, gyda Derek wrth ei hochr yn ei iwnifform las, roedd hyd yn oed y rhai a fyddai'n fwyaf beirniadol o Julie fel arfer yn ochneidio mewn rhyfeddod, ac yn dweud: "O, am ddel! Yli del!"

I mi, roedd Julie fel angyles y diwrnod hwnnw...

"Dw i'n cofio'n union pryd welis i chi ddwaetha. Dwrnod 'ch priodas chi oedd hi; dw i'n cofio gweld y ddau ohonach chi yn cael tynnu'ch llunia y tu allan i'r capal: y chi mewn ffrog wen laes at 'ch traed, a fynta, Derek, yn iwnifform las yr RAF."

"Hy!" meddai Julie. "Paid â sôn wrtha i am y bastad hwnnw! Mi ges i uffar o leiff efo fo, 'sti. Mi fydda fo'n mynd allan ac yn yfad ac yn meddwi ac yn hel merchad, ac wedyn yn dŵad adra ac yn fy nghuro fi nes 'mod i'n binc ac yn las. Mi 'nes i 'i ddiodda fo am hir achos doedd gin i nunlla arall i fynd ond, yn y diwadd, mi ges inna lond bol! Ar ôl i fy mrodyr a'n chwiorydd i i gyd briodi, mi adewis i o a dŵad adra i fama i fyw at Mam a Dad. Yma ydw i ers tro rŵan; ma'n well na bod efo fo."

Cododd i droi'r teledu ymlaen. "Ma 'na goblyn o ffilm dda yn y munud," eglurodd. "*Born to be a Princess...*"

Yna, heb ei chymell, aeth ymlaen i sôn eto am ei phriodas: am y mis mêl a ddilynwyd gan ddadrith; am ei hofn mawr o'i gŵr; am y plant a gymerwyd oddi arni pan graciodd ei nerfau, yn dilyn ei hysgariad rai blynyddoedd yn ôl. Wrth iddi siarad cadwai un llygad arnaf i a'r llall ar y teledu, a sylwais arni'n pwyso botymau'r teclyn bach yn ei llaw i newid y sianel os nad oedd yn cael ei phlesio gan y llun ar y sgrîn. "O, ma hwnna'n *boring*," meddai am raglen drafod. Pwysodd fotwm, ac roeddem ni mewn gem bêl-droed. "Sana'i ddim isio gweld hwnna!" meddai, wedi i'r tîm nad oedd hi'n ei gefnogi sgorio. Pwysodd fotwm arall, a chawsom ddianc i fyd canu a dawns. Roedd ei bysedd yn barod uwchben y botymau drwy'r amser. Sylwais fod ei hewinedd yn fudron a bod olion paent coch wedi plicio ar bob un.

Cofiais amdani flynyddoedd yn ôl, yn neidio tudalennau o'i nofel bob tro y dechreuai'r stori fynd yn ddiflas, yn union fel yr oedd hi'n neidio o raglen i raglen yn awr. Mor braf fyddai medru gwneud hynny bob tro y byddai bywyd yn mynd yn ddiflas, neu yn ddychrynllyd, meddyliais. Neidio ychydig wythnosau neu fisoedd neu flynyddoedd pan fyddai cyfnod du yn dechrau, yn lle gorfod ymlusgo trwyddo, un eiliad boenus ar y tro. Yn amlwg, roedd bywyd go iawn wedi mynd yn drech na Julie. Doedd dim amdani, felly, ond dianc.

"Tyd," meddai, "cym wisgi bach i gadw cwmpeini i mi. Ma Mam a Dad wedi mynd i aros efo Diane tan fory, a dda gin i ddim bod fy hun. Wedyn, mi gawn ni sbïo ar *Born to be a Princess* efo'n gilydd. Ma hi'n stori grêt am yr hogan ddel 'ma efo digon o bres a dillad crand a neb yn cal 'i sathru hi. Y fi ydy hi, ti'n gweld. Mi fydda i'n gweld fy hun yn edrych 'run fath â hi ac yn gwisgo 'i dillad hi ac yn byw 'i bywyd hi a... Wyt ti'n dallt?"

Ymateb i ddetholiad 2

***Darllenwch* Genod Neis.**

Trafodwch yr elfennau canlynol yn y stori:

– cefndir a lleoliad

– iaith ac arddull

– cymeriadaeth

– adeiladwaith

Llyfryddiaeth

Straeon Bob Lliw
Genod Neis

Geraint Vaughan Jones

Ganwyd a magwyd Geraint Vaughan Jones ym Mlaenau Ffestiniog yng Ngwynedd. Derbyniodd ei addysg gynnar yno, cyn symud ymlaen i'r brifysgol ym Mangor i astudio Cymraeg a Saesneg. Bu'n ffodus iawn i dderbyn anogaeth rhieni a hefyd i gael athrawon da gydol ei daith addysgol, ac mae'n ddyledus iawn i bob un ohonyn nhw hyd heddiw. Mae'n talu teyrnged arbennig i Raymond Garlick, ei athro Saesneg yn yr ysgol, a'r Dr John Gwilym Jones ym Mangor, gan mai nhw yn anad neb a ysgogodd ei ddiddordeb mewn llenyddiaeth ac a blannodd ynddo yr awydd i ysgrifennu o gwbwl.

Mae'n byw ym mhentref Llan Ffestiniog ers blynyddoedd. Ar wahân i ddarllen, a sgrifennu rhyw 'chydig, mae ei ddiddordebau eraill i gyd yn ymwneud â chwaraeon – pêl-droed, rygbi, golff – ond gwylio'n unig erbyn heddiw! Pysgota yw'r eithriad, oherwydd does dim sy'n well ganddo, bellach, na threulio ambell ddiwrnod braf ar lan llyn diarffordd efo dim ond adar a chreaduriaid gwylltion eraill yn gwmni.

Cyflwyniad i waith Geraint Vaughan Jones

Genre

Ar wahân i nofelau 'llenyddol' datblygodd mathau arbennig o lenyddiaeth neu genre llenyddol megis:

Rhamant

Mae traddodiad hen iawn i ramant mewn llên. Y brif elfen mewn rhamant yw'r berthynas rhwng dau. Storïau am gariad a serch yw'r rhain ac mae diweddglo hapus gyda chariad yn ennill y dydd a phawb yn byw'n hapus am byth wedyn yn rhan hanfodol o'r plot.

Iasol

Mae llawer o antur a symud cyflym mewn nofel iasol, lle mae'r arwr neu arwyr yn ymladd yn erbyn dyn neu bobl ddrwg. Bydd yr arwr yn wynebu llawer o beryglon cyn trechu yn y diwedd. Mae creu disgwyliad a chynnwrf yn rhan bwysig o grefft y genre yma. Defnyddir 'codi sgwarnogod' sef defnyddio awgrymiadau sy'n camarwain yn fwriadol. Dyfais arall gyffredin mewn nofel dditectif yw rhagawgrymu (*foreshadowing*). Mae rhagawgrymu yn ddyfais lenyddol lle mae'r awdur yn rhoi awgrymiadau ynglŷn â'r hyn sy'n mynd i ddigwydd. Mae rhagawgrymu wrth gwrs yn ddyfais gyffredin ym mhob math o nofel ac fel arfer yn cael ei ddefnyddio'n gynnil megis Caryl Lewis yn y nofel *Martha Jac a Sianco* yn dod â Martha i gysylltiad â gwenwyn – gwenwyn sydd yn arwain at farwolaeth un o'r cymeriadau yn nes ymlaen yn y nofel. Felly, gall y rhagawgrym fod yn gynnil iawn.

Arswyd

Nofel Mary Shelley *Frankenstein* oedd un o'r nofelau arswyd cyntaf. Crefft y nofel arswyd yw creu golygfeydd a sefyllfaoedd llawn tensiwn ac arswyd lle mae drygioni yn bygwth y rhai diniwed. Dyfeisiodd Polidori y stori fampir a Bram Stoker Dracula – lle'r oedd gwaed a dychryn yn elfennau hollbwysig. Dyfais arall gyffredin i'r genre yma ac i nofelau antur, iasol, ac yn wir lawer iawn o nofelau a ffilmiau, yw'r dibyn disgwyl (*cliffhanger*) lle mae'r cymeriad mewn perygl ar ddiwedd pennod a'r darllenydd yn ysu am gael gwybod beth sy'n mynd i ddigwydd.

Trosedd/Ditectif/Dirgelwch

Ni ddaeth y genre yma i fodolaeth tan tua 1900 ac fe'i poblogeiddiwyd gan gymeriad Sherlock Holmes gan Conan Doyle. Dirgelwch yw hanfod y nofel dditectif ac mae trosedd, yn aml llofruddiaeth, perygl i'r arwr, datrys y dirgelwch ac yna trechu'r drwg. Megis yn y nofel iasol defnyddir 'codi sgwarnogod' sef defnyddio awgrymiadau sy'n camarwain yn fwriadol a hefyd llawer o ragawgrymu.

Gwyddonias

Yn aml iawn mae'r awdur gwyddonias yn defnyddio'i ddychymyg i greu bydoedd a lleoliadau hollol wahanol gyda chymeriadau yn teithio'r gofod a hyd yn oed mewn amser. Gellir dweud fod ffuglen wyddonias yn darlunio effaith technoleg ar fywyd pobl – yr effaith da a'r effaith drwg. Ceir llawer o ffantasi yr hen chwedlau megis newid ffurf, hud a lledrith, bwystfilod rhyfedd, mewn rhai mathau o ffuglen wyddonol.

Hanes

Mae'r nofel hanes fel arfer yn creu darlun byw o gefndir a naws cyfnod arbennig yn y gorffennol. Er mai adrodd stori a wneir gan amlaf, fe ddefnyddiodd rhai nofelwyr y nofel hanesyddol i fynegi ysbryd cenedlaethol megis y nofelydd Pwylaidd Sienkiewicz. Defnyddiodd eraill y nofel hanes er mwyn rhoi neges gyfoes ac osgoi sensoriaeth megis nofelydd Pwylaidd arall, Prus.

Seicolegol

Mae nofel seicolegol yn rhoi pwyslais mawr ar fywyd mewnol y cymeriadau gan roi sylw i gymhellion a rhesymau pobl dros eu hymddygiad.

Cyfweliad Geraint Vaughan Jones

***Rydych chi wedi ysgrifennu mewn sawl genre gwahanol – nofel ramantus, nofel iasol, nofel seicolegol, nofel draddodiadol. Gawn ni drafod y stori fer i ddechrau a'ch storïau arswyd* Storïau'r Dychymyg Du.**

Fe sgrifennwyd y storïau arswyd yn gynnar yn yr 1980au fel ymateb i ddiddordeb fy nisgyblion ar y pryd mewn storïau arswyd. Fe ddywedwn i mai prif amcan unrhyw ffuglen, boed mewn llenyddiaeth neu ar ffilm, yw llusgo'r darllenydd gerfydd ei ddychymyg i mewn i'r stori a'i gael i ymgolli'n llwyr yn yr hyn sy'n mynd ymlaen yn fan'no, waeth pa mor anhygoel fo'r sefyllfa. Hynny ydi, gydol y darllen neu'r gwylio, rhaid i'r anhygoel droi'n gredadwy iddo – dros dro, o leia.

Beth yw hanfodion stori arswyd?

Rhaid i stori arswyd dda fod yn ddychmygus ac wedi'i chynllunio'n ofalus. Y sialens fwyaf wedyn i unrhyw awdur arswyd yw creu awyrgylch briodol yn gynnar yn ei stori; awyrgylch fydd yn peri i'w ddarllenydd deimlo'n anesmwyth yn ei gadair neu yn ei wely fin nos, o'r funud gyntaf bron; ond heb wybod yn iawn pam, chwaith. Y disgwyl i rywbeth annymunol ddigwydd ond heb wybod beth. O lwyddo i greu awyrgylch o'r fath, yna bydd gan yr awdur lwyfan da, wedyn, i weithio arno, gan y bydd ei ddarllenydd mewn cyflwr bregus a hygoelus, i gael ei ddychryn yn hawdd.

Mae tyndra yn rhan allweddol o stori arswyd ond rhaid gochel rhag gorwneud peth felly hefyd, neu fe all golli'i effaith. Hynny ydi, yn ogystal â gwybod sut i'w greu, rhaid i awdur wybod hefyd sut a phryd i lacio'r tyndra, fel bod ei ddarllenydd yn dychwelyd i gyflwr lle gellir ei gynhyrfu a'i ddychryn o'r newydd. (Mae cyfarwyddwyr ffilmiau arswyd yn gyfarwydd iawn â'r dechneg hon, wrth gwrs.)

Ceir elfen gref o ddirgelwch mewn storïau arswyd. Ambell stori'n dechrau efo awgrym cynnil, efallai, a'r dirgelwch yn tyfu ac yn magu mwy a mwy o arwyddocâd sinistr o fan'no mlaen. Yn ddelfrydol, rwy'n teimlo y dylid cael rhyw dro annisgwyl yn y gynffon hefyd. Falla bod stori ola'r gyfrol, sef 'Gwarth Dolmynach', yn enghraifft go lew o hynny.

Mae cyfeirio at synau arbennig hefyd yn ffordd o ddwysáu'r awyrgylch megis y pethau rwy'n cyfeirio atyn nhw yn y rhagair i'r gyfrol: "yn nhrymder nos pan fydd y lleuad yn llawn a rhyw dawelwch iasol rhyfedd yn teyrnasu, heb ddim i darfu arno ond siffrwd yr awel yn nail y coed... neu fref oer dafad... hwtian annisgwyl tylluan unig... neu gi'n udo galar o bell... neu falla sgrech enaid mewn arswyd pur!"

Beth yw prif bwrpas nofel i chi?

I mi prif bwrpas nofel ydy diddanu (ar ba lefel bynnag o ddeallusrwydd y bo hynny). Dyna, ddywedwn i, ydy'r llinyn mesur cynta y mae beirniad llenyddol yn ei osod ar bob darn o ryddiaith greadigol. Y cwbwl a geisiais i ei wneud yn fy nofelau i oedd cynllunio storïau gafaelgar a'u hadrodd wedyn mor raenus ag y gallwn.

***Mae'r arwr yn eich nofelau iasol chi yn meddu ar holl rinweddau'r arwr traddodiadol – yn ddewr, yn olygus, yn gyfiawn. Sut y byddwch chi'n mynd ati i greu cymeriad yr arwr yn y nofelau iasol* Semtecs, Asasin, Omega *a* Zen?**

Cymeriadau stoc, mewn sawl ystyr, ydi Semtecs a Zen ac, i raddau llai, Jake yn ogystal. *'Yn ddewr, yn olygus, yn gyfiawn'* a heb wybod chwaith beth yw ystyr methiant. Cymeriadau y mae gwŷr ifainc – a rhai hŷn hefyd, o bosibl – yn barod iawn i uniaethu â nhw ac i ymgolli yn eu byd ffantasïol, dros dro o leia. Wedi'r cyfan, onid cyfrinach pob awdur gwerth ei halen yw cael ei ddarllenydd i ymgolli yn y stori i'r fath raddau nes peri iddo/iddi feddwl mai fo/hi ei hun (hynny yw y darllenydd) sy'n cyflawni campau'r arwr neu'r arwres?

Er y tebygrwydd rhyngddynt, nid Semtecs o dan enw gwahanol mo Zen! Mae gan Zen ei gymeriad ei hun, gobeithio. Mae'n ddigon teg eu cymharu â rhai o'r hen arwyr chwedlonol, ac ag ambell eilun Holiwdaidd hefyd, mae'n siŵr gen i. Wedi'r cyfan, onid yr un cymeriad, yn y bôn, ydi'r rhain i gyd – Batman a Superman, Roy Rogers a'r Lone Ranger, Robin Hood, y Tri Mysgedwr, Zoro... heb anghofio James Bond, wrth gwrs. Falla bod natur eu campau yn dra gwahanol ond yr un math o feddylfryd sydd y tu ôl i bob un ohonyn nhw.

Heb yr 'ias' does dim nofel iasol. Fe fyddai Raymond Chandler yn arfer dweud 'os byddwch chi ddim yn siŵr sut i gadw ias – gwnewch i ddyn ddod drwy'r drws â gwn yn ei law!' Sut byddwch chi'n creu ias a chadw tyndra?

Hanfod pob nofel iasol, ddywedwn i, yw cael cychwyn cyffrous sy'n sefydlu'r tempo ac yn cydio'n syth yn nychymyg y darllenydd. A dyna a geisiais ei wneud efo *Zen* yn ogystal ag yn y drioleg *Semtecs / Asasin / Omega*.

I greu ias a chadw tyndra mewn nofel iasol rhaid i'r stori symud yn ei blaen yn gyflym gydag amrywiaeth o ddigwyddiadau cyffrous ond yma eto, o bryd i'w gilydd, fel ag yn y stori arswyd, rhaid arafu'r tempo a llacio'r tyndra rhag i'r cyfan droi'n syrffedus i'r darllenydd, a'i flino. Am y rheswm hwnnw, mae'n bwysig cael isblotiau. Yn *Asasin*, rydyn ni'n mynd i Lundain, y Dwyrain Canol a Gogledd Cymru (gw. penawdau'r gwahanol benodau) a cheir yr un math o beth yn digwydd yn *Zen* yn ogystal. Mae creu ambell sefyllfa ysgafn, neu ddatblygu carwriaeth dyweder, yn ffordd arall o roi brêc ar brif ffrwd y stori, i'w chadw hi rhag carlamu fel ceffyl dall i'w therfyn.

Dyna'n rhannol pam bod yn rhaid mynd â Semtecs neu Zen i'r dafarn neu i'r gwely o bryd i'w gilydd, er mwyn i'r darllenydd hefyd gael ymlacio efo nhw.

A oes fformiwla i orffen nofel iasol – sef yr arwr o'r diwedd yn gorchfygu'r dyn drwg a thrwy hynny'n achub ei groen ei hunan ac eraill, achub gwlad?

Mae peryg bod yn rhy ystrydebol a rhy-hawdd-rhagweld yn hyn o beth, megis yn ffilmiau James Bond, er enghraifft! Oes, mae disgwyl i'r arwr lwyddo ond, o'm rhan fy hun, byddaf hefyd yn ceisio dal rhywbeth yn ôl – rhyw dro bach annisgwyl yn y gynffon, megis awgrym cynnil nad yw popeth ddim drosodd eto. Diweddglo *Omega*, er enghraifft, er mai honno yw'r olaf yn y drioleg ac na fydd dilyniant iddi:

> Wyddost ti be di enw'r ymgyrch newydd 'ma gan MI6?' Oedodd yn arwyddocaol ac yn ddigon hir i weld y cwestiwn yn ffurfio ar wyneba'r lleill. 'Alpha! Ymgyrch Alpha!... y cychwyn, Sam! Y cychwyn!... Ond cychwyn ar be?'

Mae diweddglo *Jake* hefyd yn gadael y drws yn gil agored:

> Mae Twm Foulkes wedi cyfadda pob dim. Ond mae o'n deud ar ei lw nad fo ddaru ladd Alison Moore. A gesha be, Nan? Mae o'n deud y gwir... Mae'r profion DNA yn profi hynny!"

Ydy arwr y nofel iasol gyfoes yn gwneud mwy na delio ag un llofrudd ond yn hytrach yn delio â therfysgaeth neu berygl i'r wlad gyfan?

I ni, yn blant, ers talwm, roedd 'boi da' a 'boi drwg' i'w cael ym mhob ffilm. Mewn ffilmiau cowboi, er enghraifft, yr Indiaid Cochion oedd y dynion drwg bob amser. Ac mewn ffilmiau rhyfel, doedd neb mor ddewr â'r Americanwyr, na neb mor greulon ac annynol â'r Almaenwyr a'r Siapaneaid. Mae'r bwci wedi symud ymlaen ers hynny, a gwyneb y gelyn wedi newid sawl gwaith yn y cyfamser. Erbyn heddiw, terfysgwyr a ffwndamentalwyr Islamaidd ydi'r dynion drwg a rhaid i awduron nofelau iasol, fel sgriptwyr Hollywood hwythau, adlewyrchu'r oes. Fory, pwy ŵyr nad Eifftiaid neu Fongoliaid – neu Americanwyr hyd yn oed! – fydd y dynion drwg.

Sylwaf eich bod wedi creu nofel 'hybrid' neu nofel gymysgryw wrth lunio* Ei Uffern Ei Hun *– sef nofel sy'n cychwyn gydag arddull nofel dditectif, ac yna'n newid i fod yn nofel draddodiadol i raddau. Ydy hyn yn beryglus?

Gwelais a chlywais hon yn cael ei chloriannu fel nofel dditectif, a'i beirniadu oherwydd bod y 'dirgelwch' ynddi yn rhy amlwg. Ond y gwir ydi na fwriedais erioed iddi fod yn nofel dditectif fel y cyfryw, neu fyddwn i ddim wedi awgrymu'r llosgach mor fuan yn y stori. Oes, mae ynddi dditectif ond nid yw hynny, o reidrwydd, yn ei gneud hi'n nofel dditectif, mwy nag yw'r ffaith bod y ffermwyr ynddi yn ei gneud hi'n nofel amaethyddol. Roeddwn wedi meddwl y byddai'r teitl, ynddo'i hun, yn ddigon i awgrymu'r thema, ac y byddai'r darllenydd yn dod i sylweddoli ei fod yn cyfeirio at 'uffern' mwy nag un cymeriad yn y stori, ac mae hefyd sawl cyfeiriad yn y nofel at y ddihareb *Y cyw a fegir yn uffern, yn uffern y myn fod.* Os mai fel nofel dditectif y'i gwelir hi, yna rhaid i mi gydnabod fy mod wedi methu yn fy mwriad.

Rwy'n sylwi eich bod mewn nofel fel* Melina *yn ofalus iawn i greu darlun cywir o wlad a sefyllfa. Fedrwch chi ddweud gair am eich defnydd o gefndir yn eich nofelau?

Rwy'n gyndyn i leoli fy nofelau mewn unrhyw le oni bai bod gen i ddarlun clir o'r lle hwnnw yn fy meddwl. Cyn sgrifennu *Zen,* er enghraifft, bu'n rhaid ymweld â Thŷ'r Cyffredin yn Llundain ddwywaith i sicrhau bod y disgrifiadau o fan'no'n rhai cywir, a holi ambell aelod o'r gwarchodlu ynglŷn â'i swyddogaeth a manylion ei arfau. Mae'r stori hefyd yn mynd â'r darllenydd i ddinasoedd fel St Petersburg a Talinnin a fyddai hynny chwaith ddim wedi digwydd oni bai fy mod wedi ymweld â'r lleoedd hynny fy hun. Ac ydi, mae'r un peth yn wir am gefndir *Melina* yn ogystal. Weithiau, fodd bynnag, bu'n rhaid dibynnu ar lyfrau a lluniau, ac ar ddychymyg yn fwy na dim – i fynd â Semtecs, er enghraifft, i wledydd fel Iran ac Azerbaijan.

Camp nofel seicolegol yw mynd mewn i feddwl cymeriad a'i ddarlunio mewn modd credadwy. Rwy'n credu i chi lwyddo'n wych yn* Cur y Nos *i wneud meddyliau dyn sy'n sâl ei feddwl yn gredadwy i'r darllenydd.

Fe adeiladwyd y darlun yn araf ar ddechrau'r nofel gan osod awgrymiadau yma ac acw.

Defnyddir dialog i wneud yr awgrym:

> Mae'ch tabledi ar fwrdd y gegin. Cofiwch eu cymryd nhw! (tud 10)
>
> Mae angen yr awyr iach ar y tir ac arnoch chithau, Mr C. (tud 11)

Ond yn bennaf drwy lif meddyliau'r cymeriad:

> Mi fydd brandi bach yn gysur. (tud 11)
>
> Rhaid i mi ddod i delera efo'r gorffennol; efo be sy wedi digwydd. (tud 12)
>
> ... anharddu'r lawnt efo llwyth o gerrig a phridd a llwyni grug yn drwch styfnig dros y cwbwl. (tud 12)
>
> ... fydd o byth yn rhoi o'i amser i'r ardd gerrig a'r grug. Iawn. Mae hynny'n fy siwtio innau hefyd. (tud 13)
>
> Constance i ffwrdd... Kate yn dod i dreulio'r nos. (tud 14)

Fedrwch chi ddweud beth yw thema* Cur y Nos*?

Thema'r nofel yn sylfaenol yw bod elfen o sgitsoffrenia neu hollt personoliaeth ym mhob un ohonom a bod honno'n amlygu'i hun i'r fath raddau mewn rhai pobol nes troi'n salwch meddyliol. Mae Robert Cairns ac, yn sicr, cymeriadau *Yn Y Gwaed,* yn enghreifftiau pur eithafol o'r cyflwr, ond fe welir arlliw ohono hefyd, gobeithio, mewn cymeriadau eraill, megis Owen Vernon yn *Ar Lechen Lân* a hyd yn oed rhywun fel yr Inspector yn *Ei Uffern Ei Hun.*

Mae'r stori yn *Cur Y Nos* (a'r stori sy'n bwysig bob amser) yn cael ei chreu gan ddryswch meddwl Robert Cairns ac mae'n eironig, mewn ffordd, mai'r cyflwr dryslyd hwnnw sydd yn y diwedd yn datrys y dryswch a berthyn i'w orffennol hefyd. Fy ngobaith yw fy mod wedi llwyddo nid yn unig i ddarlunio'r cyflwr dryslyd ond hefyd i fynd rhywfaint o'r ffordd tuag at egluro pam y mae'r cymeriad yn dioddef fel ag y mae – ei gefndir teuluol, ei blentyndod, ei ffobia, ei hunanoldeb, ei ffantasïo rhywiol.

Hoffais y modd roeddech chi wedi gwneud y prif gymeriad yn eich nofel* Ar Lechen Lân *yn wrtharwr, sef cymeriad sydd heb rinweddau arferol arwr – nid yw'n ddewr nac yn olygus. Yn wir fe wnaethoch chi greu darlun go greulon o'r gwrtharwr. Mae e'n alcoholig sy'n yfed nes ei fod mewn cyflwr difrifol.

Ia, cymeriad atgas ym mhob rhyw ffordd ydi'r prif gymeriad, ac yma eto rhaid chwilio'i orffennol a'i blentyndod am rywfaint o eglurhad. Serch hynny, rwy'n gobeithio'i fod o – Owen Vernon (neu OV) – a Robert Cairns (*Cur Y Nos)*, a hyd yn oed Robin Dewyrth Ifan (*Yn Y Gwaed*) hefyd, yn gymeriadau tipyn mwy diddorol na rhai fel Semtecs a Zen a Jake, am fod iddyn nhw fwy o liw ac o ddyfnder. Maen nhw'n gymeriadau mwy crwn, a mwy diddorol hefyd, siawns. Defnyddio Semtecs a Zen a Jake i greu stori wnes i, ond am y tri arall, Owen Vernon, Robert Cairns a Robin Dewyrth Ifan (a'r Inspector hefyd, i raddau llai), wel, nhw ydi'r stori.

Fedrwch chi ddangos sut aethoch ati i adeiladu darlun o'r gwrtharwr ar ddechrau'r nofel?

Y brif dechneg oedd gosod awgrymiadau yma ac acw – a'r cyfan yn y diwedd yn adeiladu'n ddarlun cyfan.

> Chwiliodd ei boced am y fflasg a chofio'i bod hi'n wag... i'r fflat yn Churchyard Row. Roedd potel lawn yn fan'no i ail-lenwi'r fflasg fach.

Mae ei alcoholiaeth yn arwain at ddiffyg hunan-barch a cholli rheolaeth.

> ... Tywallt gweddill y *Famous Grouse* dros ei drowsus ac i lawr rhwng ei goesa. Dyna'r testun sbort i'r plant.

> ... y cwrw'n gyfog yn ei wddw, ac yn stremp gwlyb ar ei jymper a thrwodd i'w grys.

Mae mewn trafferthion ariannol.

> Ymbalfalodd am ei bwrs. Deuddeg punt a chydig syllta. Be wnâi? Mentro'r cerdyn yn y twll-yn-wal? Na, peryg i hwnnw ei lyncu a'i gadw, yn dilyn y rhybudd a gawsai am yr *overdraft*.

Mae'n smygu yn ofnadwy ac yn hoffi'r sigarennau cryfaf sy'n cynnwys fwyaf o nicotin, er ei fod yn dioddef yn ddifrifol o ddiffyg anadl ac asma.

Mae'n e'n dew ac yn flêr.

> ... rowlyn o gnawd wedi ei ddilladu'n flêr.

> Pwtyn boldew oedd â'i wallt yn stribedi gwlyb dros ei ben a'i dalcen, gwallt oedd yn tanlinellu yn hytrach na chuddio'i foelni. Dim byd yn ddeniadol chwaith yn y gwefla diog, llawn na'r dagell ddwbwl o dan yr ên.

> Ofer trïo cau sip yr anorac am gyhydedd y pen-ôl, heb sôn am gylch eang y bol.

Mae ei ymddygiad yn dangos diffyg hunan-barch ac yn ei wneud yn destun gwawd.

> ... tamaid ola o fara saim i'w geg ac ar y diferyn o sos coch yn llithro oddi ar hwnnw i lanio ar frest ei grys.

> Aeth i sefyll i ddrws y gwesty a thorri gwynt yn swnllyd yn fan'no, er mawr hwyl i griw o blant oedd yn mynd heibio ar y pryd. "Y mochyn!" gwaeddodd un, wedi mynd yn ddigon pell.

Mae creu person llawn gwendidau a ffaeleddau fel hyn yn creu cymeriad crwn neu amlochrog. Fedrwch chi esbonio sut y mae'r arwr gwrtharwrol yn troi'n arwr y nofel?

I mi, y cymeriadau lleia credadwy mewn llenyddiaeth ydi'r rheiny sydd naill ai'n ddrwg i gyd neu'n dda i gyd. Dwi fy hun mor euog â neb o greu cymeriadau o'r fath, pan fydd hynny'n ateb y pwrpas. Ond y gwir ydi fod rhywfaint o dda a rhywfaint o ddrwg ym mhob un ohonon ni, a'n magwraeth, yn amlach na pheidio, sy'n penderfynu pa un ai'r da ynteu'r drwg a gaiff reoli.

Mi wn fy mod i'n gorsymleiddio rŵan, ond mae'n ffordd rwydd i mi egluro rhywun fel Owen Vernon. Pe dymunid, gellid olrhain yn hwnnw elfennau o'r arwr trasig Groegaidd, yn yr ystyr bod ei gwymp wedi dod, nid o fai neb arall, ond oherwydd rhyw wendid(au) yn ei gymeriad ef ei hun. Fe fu Owen Vernon, ar un adeg, yn newyddiadurwr pur llwyddiannus ac yn ŵr teulu eitha bodlon ei fyd ond am iddo ymroi i'r gwendid cynhenid sydd ynddo, mae wedi colli parch ei briod a'i gyd-weithwyr. Mae dychwelyd i'w hen ardal, er mor gyndyn ydi o i neud hynny, yn dod â fo, ymhen amser, yn ôl at ei goed ac at ei wreiddia. Erbyn y diwedd, mae'n barod i syrthio ar ei fai a chydnabod ei gamgymeriadau, a dyna sy'n peri ei fod o'n adennill nid yn unig ei hunan-barch ond parch ei hen ffrindiau'n ogystal

Beth am arddull eich nofelau?

Mi fydda i'n ymlafnio'n hir iawn efo arddull, yn darllen ac ailddarllen ac ailwampio, nes bodloni fy hun bod y cyfan yn rhedeg yn rhwydd ac yn taro'n naturiol ar y glust. Rwy'n gryf o'r farn y gall arddull wan ddifetha'r stori, ond y gall arddull dda, ar y llaw arall, achub rhywfaint ar stori wael.

Oes rhaid cynllunio nofel yn ofalus a chael adeiladwaith pendant?

Waeth pa genre – nofel, stori fer, drama – mae'n rhaid cynllunio pob cam yn ofalus. Oni wneir hynny, yna mae peryg i'r awdur golli'i ffordd ac i'r plot fynd i grwydro, gyda'r canlyniad bod y darllenydd yn colli gafael ar y stori a thrwy hynny'n colli diddordeb yn y gwaith. Yr hyn sy'n rhoi mwya o bleser i awdur – neu i mi, beth bynnag – yw clywed rhywun yn dweud yn gwbwl ddidwyll ei fod wedi methu gollwng y nofel o'i law nes gorffen ei darllen. Mae cynllunio gofalus yn mynd yn bell iawn tuag at sicrhau'r math yna o lwyddiant.

Detholiadau o waith Geraint Vaughan Jones

1. Ar Lechan Lân

'Sawl noson?'

'Un... Mae'n dibynnu.'

'Iawn 'ta.' Cyndyn, fel pe na bai hi isio'r drafferth, na'i bres o. 'Llanwch y manylion ar y cerdyn.'

Dim gwên, dim croeso. Y gloman anserchus! Acen de-ddwyrain Lloegr ym Mhendyffryn o bob man!

Enw, cyfeiriad cartref, cenedl, swydd, rhif car... Llanwodd bob dim perthnasol.

'*Y National Gazette?*' Roedd hi'n studio'i atebion. Goslef ei llais yn awgrymu, 'Wyt ti'n tynnu 'nghoes i?' ond llygedyn o barch i'w weld yn cronni yng nghorneli'r llygaid oer canol oed.

'Ia.' Medrai ynta fod yr un mor ffroenuchel. Roedd wedi delio efo gwell hon ar hyd ei oes, ac yn gwybod sut i'w rhoi nhw yn eu lle. Palfalu yn y waled lefn, ac yna, yn y modd mwya didaro posib, taflu'r cerdyn ar y cownter o dan ei thrwyn – OWEN VERNON Art & Theatre Critic, The National Gazette, Fleet Street, London EC4. Llythrennu aur ar gefndir gwyn. Fo, o'i boced ei hun, a dalodd am argraffu'r rhain flynyddoedd yn ôl. Doedd o eto ddim yn brin ohonyn nhw. 'Yma i neud cyfres o erthygla.' Câi hi ddychmygu ar be.

'Mewn diwrnod?'

'Be 'dach chi'n feddwl?'

'Noson ddeudsoch chi oeddech chi'n aros.'

'Mi ga' i weld. Os bydd y llofft a'r bwyd yn plesio, mi fydda i yma am wythnos. Falla mwy.'

'Wrth gwrs, syr. Dilynwch fi. Brecwast rhwng hannar awr wedi saith a naw o'r gloch, bwyd min nos rhwng hannar awr wedi chwech a hannar awr wedi wyth. Fydd hynny'n iawn?'

'Hm!' Bu bron iddo beidio cydnabod o gwbwl ei thôn nawddoglyd hi.

Oedd, roedd y llofft yn plesio. Llawer mwy chwaethus a chynnes na'r disgwyl a deud y gwir – *En suite*, teledu, ffôn, tecell a deunydd coffi neu de; llawr cynta, yn edrych allan dros y Stryd Fawr. Be'n well? Palas o'i gymharu â'r fflat yn Churchyard Row. Rhedodd ddŵr poeth i'r bath a gwagio'r sebon meddal o'r botel fach blastig las. Yna, â'r stem a'r ogla persawrus yn codi fel un, camodd yn ôl i'r llofft a thywallt wisgi helaeth iddo'i hun. Ar gyfer pobol fel fo y gadewid gwydra wrth ochor sinc y stafell molchi, siŵr o fod.

Roedd y *Grouse* yn well nag arfer, yn erlid blinder ac oerni pob cymal yn ei gorff. Wrth lygadu'r botel lawn ar y naill law a dychmygu anwes dŵr poeth y bath ar y llaw arall, llifodd ton o fodlonrwydd drosto. Tywalltodd eto a mynd i sefyll o flaen drych hir drws y wardrob.

Darlun go ddigalon, meddyliodd, wrth syllu'n ôl ar y pwtyn boldew oedd â'i wallt yn stribedi gwlyb dros ei ben a'i dalcen, gwallt oedd yn tanlinellu yn hytrach na chuddio'i foelni. Dim byd yn ddeniadol chwaith yn y gwefla diog, llawn, na'r dagell ddwbwl o dan yr ên. *OV rwyt ti wedi d'esgeuluso dy hun. Mi newidith petha o hyn ymlaen. Bygro'r Art and Theatre Critic bit. Dyma dy faes di o hyn allan, mond iti neud sioe go dda o'r job yma. Industrial troubleshooter! Ia, mae'r diffiniad yn apelio.*

Roedd natur sŵn y dŵr yn cyhoeddi fod y bath bron â bod yn barod. Aeth draw at y ffenest i orffen ei sigarét. Y stryd yn sgleino'n wlyb a'r glaw trwm yn dawnsio ar ei gwyneb. Ar wahân i hynny, dim byd ond niwl llwyd a theiars ambell gar yn hisian heibio fel pe'n anelu am rywle gwell. Rywle yn y llwydni gyferbyn, fel y gwyddai'n iawn, roedd Tai Cerrig yn cuddio.

Gwagiodd y gwydryn a thywallt rhagor iddo, ond ei roi o'r neilltu tra'n diosg pob cerpyn yn bentwr gwlyb, ei sana tyllog yn goron ar y cyfan. Sefyll eto o flaen y drych i studio'r noethni blonegog di-siâp; y mynydd o gnawd llac mewn gormodedd o groen. A gneud sioe ofer o dynnu gwynt i mewn. *Tarsan, falla dim, ond diawl erioed, OV! Rwyt ti'n ddwy a thrigain oed, a dwi wedi gweld gwaeth.*

Cymal a chyhyr yn sugno cysur y dŵr a'r persawr, gwydraid llawn o'r *Famous Grouse* yn wahoddiad wrth law a gwely meddal glân yn aros. Ia wir! *This is the life*!

Deffrodd o freuddwyd braf ac agor ei lygaid yn gyndyn. Rhaid 'mod i wedi blino, meddyliodd, wrth sylwi ar y gwydryn wrth ymyl y gwely yn hanner llawn o hyd a'r *Capstan Full Strength* wedi llosgi'n rhimyn hir llwyd yn y soser lwch. Chwarter wedi chwech. Amser i'r rasal drydan ac i ddewis dillad sych. Ogla digon stêl oedd ar y rhai gwlyb; y rheini bellach wedi eu taenu dros y gwresogydd poeth. Amser i fwynhau sigarét hefyd, ac i orffen y wisgi. Fe âi am ei swper tua hanner awr wedi saith; ddim bod arno lawer o awydd bwyd, yn rhyfedd iawn – roedd y ddau becyn bisgedi a gafodd ar y trên yn dal yn lwmp sych yn ei stumog – ond os oedd swper yn cael ei gynnwys yn y bil...!

Ymateb i ddetholiad I

 **Dadansoddwch y modd y mae'r awdur yn adeiladu cymeriad:**

- **drwy ddisgrifiadau**
- **drwy lif meddyliau.**

2. Ei Uffern ei Hun

'Dos i weld be 'di'r broblem, DI SI.'

Cip cyflym, beirniadol bron, oddi wrth y ditectif gwnstabl ifanc, yna edrychiad hirach allan ar y tywydd, cystal â gofyn, 'Be? Yn hwn?' ond gan nad oedd arlliw o gydymdeimlad yn y gwyneb delw wrth ei ymyl, cododd goler ufudd ei got ac estyn am handlen y drws. O'u blaen, dim ond rhes o geir gwlyb am y gellid gweld, pob un yn chwydu'i wenwyn i'r niwl tra dawnsiai'r glaw ar ei do. Dwy yrr aflonydd o liw oedd y ddau bafin o boptu; ymbarelau'n twlcio'i gilydd yn eu diflastod.

Wrth i'r drws agor i'r tywydd, llanwyd y Mondeo a sïo cyson y glaw ar wyneb y ffordd ac â sŵn dŵr yn treiglo'n oer i'r gwterydd. Yna roedd y drws wedi'i gau unwaith yn rhagor, yn fur rhwng tamprwydd myglyd ac oerni llaith.

Pwysodd yr Inspector ymlaen i roi taw ar guriad caled y weipars a theimlodd gryndod yr injan yn llonyddu yr un pryd. Â'i hances, sychodd ddiferyn arall oedd yn dianc yn oer o'i wallt i'w war. 'Be uffar dwi 'di'i neud i haeddu hyn?' meddai'n uchel wrth y diflastod o'i gwmpas. Ac yna, o dan ei wynt, 'Pymtheng mlynedd arall cyn y ca i ymddeol!' Gwyliodd, heb weld, y glaw'n dallu'r gwydyr o'i flaen ac ochneidiodd yn chwerw. Ymddeol? Ddim eto'n bymtheg ar hugain oed ac eisoes yn deisyfu dy oes! Tri deg a phump ac yn teimlo'n bum deg a thri! Ac ymddeol i be, beth bynnag? At bwy? I dreulio mwy o amser efo gwraig nad oedd o ond yn rhygnu byw efo hi ers tro byd? I ddandwn plant nad oedd o hyd yn oed yn dad i un ohonyn nhw, o bosib. 'Fedri di ddim gwadu hwn. Mae o'r un sbit â chdi!' Geiria'i fêt – os mêt hefyd! – ddwy flynedd yn ôl. '...Ond am yr ienga 'ma! Mae hwn yn rhy ddel o beth cythral i ti fod yn dad iddo fo. Ha ha!' Ocê, jôc oedd hi, ond jôc wael ar y diawl – am ei bod hi'n rhy agos at yr asgwrn ac at y gwir. Ac ers hynny, mwya'n byd y meddyliai am y peth – ac roedd o yn hel mwy o feddylia'n ddiweddar – yna sicra'n byd oedd o ei bod hi wedi gneud pric pwdin ohono fo ar hyd y blynyddoedd. Roedd hi wedi gadael iddo fo fagu bastard rhywun arall... A dyma fo rŵan, wyth mlynedd yn ddiweddarach, yn dal i'w fagu o! Bastard rhyw fasdad arall. Ac yn waeth fyth, o styried yn ôl, fe wydda fo pwy oedd y basdad hwnnw hefyd! Ynta'n briod, pe bai wahaniaeth am hynny. Arclwydd! Pa mor uffernol o ddiniwed oeddet ti ar y pryd i beidio sylweddoli be oedd yn mynd ymlaen...

Ymateb i ddetholiad 2

 ***Dadansoddwch yr arddull i esbonio:***

– sut mae'r awdur yn defnyddio'r cefndir i greu naws arbennig

– sut mae'r llif meddyliau yn dangos dyfnder chwerwedd y cymeriad.

3. Storiau'r Dychymyg Du

Sŵn Satan yn chwyrnu ac yn crafu a'u deffrodd. Ymbalfalodd Ted am ei wats a chraffu ar lewyrch gwan ei hwyneb.

'Chwartar wedi hannar nos! Be sy ar y ci gwirion 'na?'

'Gwranda, Ted!' Sibrydiad ofnus oedd islais Elin. 'Be sy 'na? O Dduw, be sy 'na?'

Roedd chwyrnu ysgafn y ci wedi troi'n riddfan torcalonnus. O'r pellter deuai sŵn rhyfedd, sŵn i godi gwallt pen unrhyw un; cymysgedd o oernadau arswydus a siantio rheolaidd yn codi a gostwng fel petai'n dod atynt ar awel anwadal. Rhuthrodd Ted i'r ffenest a rhythu allan i'r tywyllwch ond swatio'n dynnach o dan ddillad y gwely a wnaeth ei wraig.

'Be gythral sy'n digwydd?'

'Be, Ted? Be weli di? Be sy'n bod?'

'Fedri di ddim cau ceg y blydi ci 'na?' Awgrymai'r min ar ei lais fod arno yntau ofn.

'Tyrd yma, Satan! Tyrd yma, boi! Be sy 'na, Ted? Be 'di'r sŵn ofnadwy 'na? Dwed wrtha i, plîs.'

'Does gen i ddim syniad... os nad oes 'na ryw griw ifanc yn cadw reiat. Sbia!'

Tynnodd y llenni'n agored a phwyntio. Roedd y byd tu allan fel gwlad hud, y lleuad lawn wedi boddi mewn niwlen ysgafn a'r tarth gwyn yn rhoi gwedd annaearol ar bob dim. Yn union o'u blaen ymddangosai adfeilion An Mhainistir yn fygythiol ddu yn erbyn awyr y nos. Gostegodd y sŵn pell gan adael tawelwch llethol unwaith eto heb ddim ond parabl y nant i ddwysáu'r dyfnder a griddfan Satan wrth y drws i ychwanegu at eu hanesmwythyd.

Daeth Elin â'i thrwyn at y gwydr a syllu'n fud draw i'r dde ar y wawr o oleuni o gyfeiriad Meini'r Ddefod. Fel y syllent, cododd ton arall o'r siantio dolefus a theimlodd y ddau'r gwaed yn rhewi yn eu gwythiennau.

'Cau dy geg, Satan!' Cododd Ted i agor drws y garafán iddo ond at yn ôl y symudai'r ci a'i wrychyn yn crynu.

'Ted! O Ted! Maen nhw'n dŵad!' Trodd ei hofn yn ddagrau.

Rhuthrodd ei gŵr yn ôl ar y gwely cul ger y ffenest a rhythu allan i'r nos. Dyna lle'r oeddynt, yn golofn ddwbl hir o siapiau tywyll ar Lwybr y Dial, pob un mewn gwisg laes a chwfl ac yn dal ffagl ynghynn uwch ei ben. Ar y blaen cerddai gŵr tal mewn mantell wen a chwfl du arni ac yn union tu ôl iddo ferch ifanc, hithau mewn gwenwisg laes, ei phen yn gwyro'n ddigalon tua'r llawr. Ni ellid gweld y rhan isaf o'u cyrff gan mor drwchus y tarth o gylch eu traed ac o ganlyniad ymddangosai'r golofn gyfan fel pe bai'n llithro ymlaen trwy fôr o niwl gwyn.

'Pwy ydyn nhw, Ted? O Dduw, pwy ydyn nhw?'

'Maen nhw'n dŵad o gyfeiriad Cylch y Ddefod, beth bynnag,' meddai'i gŵr yn gryg. 'Gwranda!'

Drwy'r siantio a'r oernadu erchyll daeth adlais y traed yn gorymdeithio dros y bont ac fel y nesaent deuai'u ffurf yn fwy a mwy amlwg i'r ddau oedd yn gwylio. Yna, cyn cyrraedd y groesffordd safodd pob un ar arwydd distaw ei arweinydd a gostegodd y sŵn. Cododd y blaenwr ei ffon drwchus a'i phwyntio at y garafán ac yn araf trodd pob un ei ben i syllu tuag atynt. Nid oedd dim ond düwch i'w weld o dan y cwfl.

'Maen nhw wedi'n gweld ni, Ted!' Roedd y ddau wedi cilio'n reddfol o'r ffenest. 'Maen nhw wedi'n gweld ni!' Roedd ei llais yn ymylu ar banig llwyr...

Ymateb i ddetholiad 3

 ***Dadansoddwch yr arddull i esbonio:***

– sut mae'r awdur yn creu naws o arswyd

– sut mae'r dialog yn cyfrannu at y tyndra.

4. Cur y Nos

Mwynhau coffi efo dynion iau na fi, a gneud llygada bach ar lancia iau na hi'i hun mae'n siŵr. Damia'i lliw hi! Mi fedra i ddychmygu'r llygada hynny'n fflyrtio'n gyhoeddus. A pha ddyn, wedi'r cyfan, all wrthsefyll eu swyn? Pa un ohonyn nhw, tybad, sy'n rhannu'i chyfrinacha, yn rhannu'i ffafra, fel y byddwn i'n arfar neud? Mwy nag un mae'n debyg. Mor hawdd ydi dychmygu be sy'n mynd ymlaen... be sydd wedi bod yn mynd ymlaen tu ôl i 'nghefn i ers misoedd. Pa un ohonyn nhw? Hwn'na welais i efo hi yn y caffi dro'n ôl? Roedd o tua'r un oed â hi ac roedd hi'n amlwg yn mwynhau ei sgwrs a'i gwmni ac yn fflyrtio'n agorad efo fo. Neu'r llall 'na, a stopiodd ei gar i siarad efo hi tu allan i'w thŷ ddydd Iau diwetha? Roedd hi'n or-glên efo hwnnw, hefyd. A dwi wedi gweld yr un boi wedyn yng nghyffinia'r swyddfa lle mae hi'n gweithio. Mae o'n uffar tal a llydan ei sgwydda, yn walltog ac efo llond ceg o'i ddannedd ei hun. Ond pen bach ydi'r diawl, pe bai hi ond yn sylweddoli hynny. A mae o beth bynnag bum mlynadd yn iau na hi! Be uffar sy arni hi? Mi neith unrhyw ddyn y tro iddi, debyg!

Kate! Rhaid imi roi'r gora i feddwl amdanat ti neu mi fydda i wedi hurtio. Rwyt ti fel lwmp calad yn fy stumog i, yn fy nghadw rhag cysgu'r nos, rhag canolbwyntio'n hir ar gythral o ddim yn ystod y dydd. Mae o fel salwch arna i. Rhaid imi gael dy weld di neu glywad dy lais di ryw ben o bob dydd, er 'mod i'n gwybod yn iawn fod hynny'n peri diflastod iti ac yn dy yrru di ymhellach oddi wrtha i. Dwi'n trio dy wylio di o hirbell, heb iti sylweddoli 'mod i yno, ond rwyt ti wedi mynd i chwilio amdana i rŵan, yn do? Fel pe bait ti'n disgwyl fy ngweld i ym mhob cysgod. Gofi di'r diwmod hwnnw pan oeddet ti'n sefyll wrth dy gar ym maes parcio Lorne & Greene ar derfyn dy ddiwrnod gwaith? Roeddet ti'n chwerthin siarad efo dau o dy gyd-weithwyr. Fflyrtio oeddet ti, wrth gwrs! Waeth iti heb â gwadu. Sut bynnag, fe droist dy ben yn sydyn a 'ngweld i'n edrych arnat ti o 'nghar. Hyd yn oed o'r pelltar hwnnw mi allwn i weld dy wynab di'n gwrido am 'mod i wedi dy ddal. Yna mi ddeudist rywbeth wrth y ddau oedd efo ti gan beri i'r rheini hefyd droi i edrych arna i. Ai ti ofynnodd iddyn nhw ddod draw i 'mygwth i? Dyna oedd eu bwriad yn reit siŵr ond 'mod i wedi cael y blaen arnyn nhw.

Ymateb i ddetholiad 4

Llif meddyliau un cymeriad a geir yma – esboniwch sut mae'r awdur yn llwyddo i gyfleu eiddigedd ac obsesiwn y cymeriad.

Llyfryddiaeth

Alwen
Storïau'r Dychymyg Du
Melina
Yn y Gwaed
Semtecs
Asasin
Ar Lechan Lân
Omega
Cur y Nos
Zen
Ei Uffern ei Hun
Jake

Rhan 2

Themâu
Techneg Naratif
Plot ac Adeiladwaith
Cymeriadaeth
Detholiad o Themâu

Themâu

Testun a Thema

Rydyn ni'n aml yn defnyddio 'testun nofel' a 'thema nofel' fel pe baen nhw'r un peth. Ond fe allech chi ddweud bod testun nofel yn golygu'r pwnc mae'r nofel yn ei drafod, er enghraifft dweud mai'r Streic Fawr yw testun *Chwalfa*. Ond y mae'r gair 'thema' yn awgrymu mwy na hynny, sef yr hyn y mae'r awdur am i ni feddwl am y testun dan sylw. Thema *Chwalfa* yw 'dangos bod dyn yn arwrol yn ei ymdrech i ymladd adfyd'. Testun *Martha Jac a Sianco* yw'r bywyd gwledig, ond y thema yw 'dangos bod byd natur yn greulon a dangos bod pobl yn cael eu dinistrio gan amgylchiadau caethiwus'. Mae'r defnydd o'r gair 'bod' yn dangos bod thema yn rhoi ystyr a dehongliad i'r testun.

Gwirionedd neu Ystyr

Gellir dweud mai thema yw'r neges neu wirionedd am fywyd sy'n cael ei fynegi gan nofelydd. Thema yw'r hyn nad yw'n cael ei ddweud yn uniongyrchol, ond yn anuniongyrchol gan y cymeriadau, digwyddiadau, a'r hyn sy'n aros gyda ni ar ôl darllen nofel.

Mae modd cael mwy nag un thema, a gellir eu gwau i mewn i themâu eraill. Disgrifiodd un nofelydd y themâu fel llinyn neu linynnau sy'n dal y gwaith gyda'i gilydd.

Yn ôl Laurence Perrine, *'Thema mewn nofel neu stori yw'r syniad llywodraethol neu weledigaeth ganolog, y gosodiad cyffredinol am fywyd a fynegir neu a awgrymir gan y stori. Er mwyn darganfod thema ganolog stori rhaid i ni ofyn beth yw pwrpas canolog y stori: pa weledigaeth o fywyd a geir yma neu pa wirioneddau am fywyd y mae'n ei mynegi.'*

Yn ôl Henry James mae'r thema bob amser yn codi o agwedd ar bersonoliaeth yr awdur, *'y tir o'r hwn y tardd ei destun'*. Gellir dweud mai prif thema nofel yw swm ei syniadau. Yn wir, mae gan rai nofelwyr thema sy'n ymddangos dro ar ôl tro yn eu gwaith, ac mae'n bosibl nad yw'r nofelydd ei hun yn ymwybodol o'i holl themâu.

Cyfleu'r Thema

Bydd yr holl elfennau sydd mewn nofel, cymeriadau, lleoliad, gwrthdaro, awyrgylch, delweddau, symbolaeth a hyd yn oed safbwynt naratif, yn cydweithio i fynegi'r thema. Er enghraifft, mae'r thema yn nofel Fflur Dafydd *Atyniad* yn cael ei mynegi gan gymeriadau wedi eu gosod mewn sefyllfa ynysig ac anodd, sy'n creu tensiynau a gwrthdaro rhyngddyn nhw.

Y Prif Gymeriadau a'r Thema

Yn aml iawn y prif gymeriadau yw'r allwedd i thema nofel gan mai am ddyheadau a breuddwydion pobl y mae stori. Mae'n aml yn help i ofyn y cwestiwn 'Beth yw agenda'r cymeriad yma?' 'Beth mae'r cymeriad yma ei eisiau?'

Ym mhob nofel neu stori mae'r thema yn gwau o gwmpas y prif gymeriad ei hun. Yn *Martha Jac a Sianco* mae'r prif gymeriad, Martha, yn berson dewr, dioddefus sy'n ymdrechu i gael hapusrwydd a gwireddu ei breuddwydion mewn byd caled. Person yn cael ei ddiffinio gan ei gorffennol yw Martha. Y gorffennol sy'n ein gosod mewn lle ac amgylchiadau arbennig ac sy'n cyfyngu ar ein rhyddid ac yn cyflyru'r math o berson ydyn ni. Eto mae Martha'n brwydro'n ddewr yn erbyn y gorffennol a'i hamgylchiadau caethiwus ac mae hyn yn gwneud i ni gydymdeimlo â hi. Y frwydr yma sy'n gwneud Martha yn gymeriad arwrol. Gellir dweud felly, tu ôl ac yn sylfaen i'r thema 'dangos bod byd natur yn greulon a dangos bod pobl yn cael eu dinistrio gan amgylchiadau caethiwus' fod yna thema ddyfnach a mwy sylfaenol sef 'trasiedi cyflwr dyn a'i arwriaeth yn wyneb dioddefaint ac amgylchiadau anodd'.

Profiad a gweledigaeth yr awdur

Yr allwedd i thema pob nofel yw darganfod y rheswm pam y crëwyd y nofel neu'r stori yn y lle cyntaf, ac mae'r ateb hwnnw ym mhersonoliaeth a phrofiadau a gweledigaeth yr awdur ei hun.

Yn ôl Murasaki Shikibu, *'Mae'r nofel wedi ei chreu oherwydd profiad y storïwr ei hun o bobl a phethau, er da neu er drwg – nid yn unig yr hyn sy'n brofiad iddo ef, ond profiadau a welodd neu a glywodd sy wedi'i gynhyrfu i deimlad mor gryf fel na fedr ei gadw wedi'i gloi yn ei galon'*. Yr emosiwn hwn yw'r sail a'r allwedd i thema nofel. Dyna pam y dywedodd VS Naipul, *'Mae ffuglen bob amser yn hunangofiant, a hunangofiant bob amser yn ffuglen'*.

Iaith/Arddull a Thema

Mae cysylltiad rhwng iaith â thema. Meddai Kate Roberts 'Rhaid cael arddull addas i'r thema.' Dyw arddull delynegol farddonol ddim yn addas i stori lle ceir digwyddiadau cynhyrfus. Rhaid sylwi a yw awdur yn newid ei arddull – os felly rhaid holi beth yw'r rheswm am hyn.

Gweler *Llwybrau Llên* tud 92-133 am astudiaeth o arddull mewn ffuglen.

Techneg Naratif

Mewn nofel mae rhywun yn dweud wrthon ni beth sy'n digwydd a chwestiwn hollbwysig yw 'pa ddull naratif a ddefnyddiodd yr awdur wrth ysgrifennu ei nofel/stori?' Rydyn ni'n galw dewis y nofelydd o'r ffordd mae'n adrodd ei stori yn 'Dechneg Naratif'.

Pwy sy'n dweud y stori?

Rhaid gofyn y cwestiwn, 'Pwy sy'n dweud y stori?'

- Gall fod yn berson gydag enw ac yn amlwg pwy ydyw.
- Gall fod yn gymeriad annelwig dienw megis yn *Un Nos Ola Leuad.*
- Gall fod yn awdur hollwybodol sy'n dweud y stori gan ddefnyddio trydydd person 'fe', 'hi', 'nhw' i ddweud y stori.
- Gall fod yn gyfuniad o bobl – sef un cymeriad yn dweud rhan o'r stori neu awdur hollwybodol yn dweud y gweddill.

Adroddwr y tu fewn neu'r tu allan i'r stori

- Gall yr adroddwr fod yn gymeriad sy'n byw yn yr un byd â'r cymeriadau yn y nofel.
- Gall fod yn edrych ar y cymeriadau o'r tu allan – fel awdur hollwybodol. Er bod yr adroddwr o'r tu allan yn hollwybodol gall ddewis peidio â datgelu'r cyfan megis Caradog Prichard yn *Un Nos Ola Leuad* neu ei ddatgelu'n rhannol ac yn amwys.
- Gall y nofelydd gael adroddwr yn y stori ar un adeg yn y nofel ac yna newid i edrych ar y cyfan o'r tu allan. Mae'n bwysig sylwi ar hyn wrth astudio'r nofel.
- Gall nofel gychwyn gyda nifer o bobl yn siarad ond yna gall un ohonyn nhw ddechrau bod yn adroddwr yr hanes – 'naratif wedi'i fframio'. Gall yr adroddwr allanol fod wedi'i enwi neu fod yn ddi-enw.
- Mae pwy sy'n dweud y stori yn bwysig iawn mewn bywyd go iawn – felly yn y nofel. Mae gwahanol adroddwyr, gwahanol media naratif yn newid stori – nid yn unig sut mae'n cael ei ddweud ond yr hyn sy'n cael ei ddweud a'n hagwedd ni ato.

Naratif wedi'i fframio

Un dull o newid yr adroddwr yw drwy gyfrwng 'Naratif wedi'i fframio' – yr adroddwr allanol. Mae llawer o nofelwyr yn teimlo'r angen i gael cyfuniad o adroddwr ag enw ac adroddwr dienw. Mae rhoi enw i'r adroddwr yn gwneud y cyfan yn fwy personol.

Cydweithrediad ac ymyrraeth

Roedd y nofel draddodiadol yn fyd caeëdig wedi'i gau i ffwrdd wrth fyd go iawn yr awdur. Ond mae llawer o lenyddiaeth ôl-fodern sy ddim yn cyflwyno byd y nofel fel byd caeëdig – sydd ar wahân i'r byd go iawn. Mae nofelwyr megis Mihangel Morgan yn torri i lawr y ffin rhwng yr hyn sy'n ffuglen a'r hyn sy'n real.

Llif yr Ymwybod a Dialog Mewnol

Mae dialog mewnol neu gofnodi llif meddyliau cymeriad yn ddull o fynd mewn i feddwl cymeriad. Mae Milan Kundera yn sôn am '*waith ysbïo anhygoel dialog mewnol*' ac yn hawlio fod James Joyce fel petai e wedi gosod meicroffon ym mhen ei gymeriad, Leopold Bloom.

Adroddwr Dibynadwy/Annibynadwy

Yn y cyflwyniad i waith Mihangel Morgan, mae trafodaeth ar yr adroddwr dibynadwy ac annibynadwy yn ogystal â'r amwysedd mewn nofel ôl-fodern.

Gweler *Llwybrau Llên* tud 146-9 am ragor o nodiadau ar ddulliau naratif.

Plot ac Adeiladwaith

Plot

Plot yw cynllun neu brif stori gwaith llenyddol. Mae Aristoteles yn diffinio plot fel 'y cyfuniad o'r digwyddiadau', o'r pethau a wneir yn y stori. Hawliodd Aristoteles fod plot (*mythos*) a gweithredu (*praxis*) yn dod o flaen elfennau megis cymeriad (*ethos*). Mae Paul Ricoeur yn diffinio plot fel '*y cyfanrwydd dealladwy sy'n rheoli dilyniant o ddigwyddiadau mewn stori*'.

Pan fyddwn ni'n sôn am blot mewn nofel rydyn ni'n sôn am y cynllun arbennig mae'r awdur wedi'i greu er mwyn dweud yr hyn sydd ganddo i'w ddweud.

Gwrthdaro rhwng plot a chymeriad

Yn aml iawn bydd y cymeriadau, wrth i'r awdur ysgrifennu, yn gwrthod dilyn y plot. Yn wir y mae gwrthdaro rhwng y gwaith creadigol sy'n datblygu ei ewyllys a'i gyfeiriad ei hun a'r cynllun gwreiddiol oedd ym meddwl yr awdur.

Dyma rai cwestiynau i'w holi am blot nofel:

- Ydy'r plot yn gredadwy?
- Oes gwrthdaro yn y plot?
- Ble mae uchafbwynt y nofel?
- A yw'r *denouement* (lle datgelir y cyfan a gadwyd yn gyfrinachol tan yma) yn foddhaol?
- A yw'r nofel yn arafu gyda'r *denouement*?
- A oes isblotiau – beth yw eu swyddogaeth?

Gwendidau mewn plot

(Gweler ymdriniaeth â'r plot yn *Llwybrau Llên* tud 168–170)

Syndod a dirgelwch yn hanfodol i'r plot

Yn ôl E M Forster, 'mae'r elfen o syndod a dirgelwch yn bwysig iawn mewn plot'.

Gwrthdaro yn un o hanfodion plot

Yr hyn sy'n rhoi grym i blot yw gwrthdaro – gwrthdaro rhwng dymuniadau, dyheadau, y gwahanol gymeriadau, hyd yn oed gwrthdaro corfforol. Y gwrthdaro hwn sy'n ennill chwilfrydedd y darllenydd i weld canlyniad y gwrthdaro.

Gwrthdaro mewnol neu allanol

A yw'r gwrthdaro ym meddwl y cymeriad neu'n dod o'r byd o'i gwmpas ac felly'n allanol ar ffurf pobl neu fyd natur?

- Dyn yn erbyn Byd Natur.
- Dyn yn erbyn Dyn.
- Dyn yn erbyn ei hun – gall hyn fod yn wrthdaro gyda'r hanner arall i gymeriad megis yn *Jekyll a Hyde* (R L Stevenson) neu *Melog* (Mihangel Morgan). Ond fel arfer brwydr ym meddwl y cymeriad a geir.

- Dyn yn erbyn cymdeithas.
- Dull arall o ddisgrifio gwrthdaro fyddai drwy gyfrwng ansoddeiriau fel hyn: 'Corfforol', 'Meddyliol', 'Emosiynol'.
- Gwrthdaro Moesol – problem neu ddilema foesol gan gymeriad. Yn nofel R L Stevenson mae gwrthdaro moesol. Rhaid i Dr Jekyll wynebu bod Mr Hyde yn rhan ohono ef ei hun. Rhaid i'r meddyg wneud y penderfyniad moesol i amddiffyn cymdeithas rhag Mr Hyde drwy ei ddinistrio a thrwy hynny ei ddinistrio'i hun. Yr unig ddewis arall yw gadael i Mr Hyde gymryd meddiant o'i gorff a'i feddwl a thrwy hynny golli ei 'enaid' neu ei bersonoliaeth ei hun.

Adeiladwaith

Adeiladwaith yw'r drefn y cyflwynir y plot. Weithiau bydd y plot a'r adeiladwaith yr un peth gyda'r dechrau yn y dechrau ac yn gweithio ymlaen yn gronolegol i'r diwedd.

Gall nofel ddechrau *in media res*, sef yng nghanol y digwyddiadau, ac yna ddefnyddio ôl-fflachiadau. Mae'r nofel *William Jones* yn dechrau gyda darlun o William Jones a'i wraig. Yna ym mhennod chwech ceir ôl-fflachiadau i ddarlunio William Jones yn y rhyfel yn ymddwyn yn arwrol gan ddarlunio agwedd annisgwyl ar gymeriad y dyn bach diniwed.

Yn nofel Alun Jones *Ac Yna Clywodd Sŵn y Môr* mae yna wibio i olygfeydd, amser a chymeriadau gwahanol

Yn aml mae nofelau sy'n ymddangos fel pe baen nhw'n dechrau yn y dechrau yn aml yn oedi yn hwyr yn y nofel i ddatgelu rhyw 'stori' sy'n aml yn gymorth i orffen y nofel. Mae datgeliad hwyr fel hyn digwydd mewn storïau ditectif neu mewn nofel fel *Enoc Huws* i roi diweddglo i'r nofel.

Sut i ddadansoddi adeiladwaith nofel

Mae'n bwysig bod athrawon a disgyblion sy'n astudio nofel yn dadansoddi'r hyn y gallwn ni ei alw'n 'ffurf' neu 'adeiladwaith' neu gynllun naratif nofel. Dyma rai elfennau pwysig yn adeiladwaith unrhyw nofel.

• *Lleoliad mewn amser*

Mae dadansoddi lleoliad cronolegol nofel yn bwysig. Pam gosod lleoliad y nofel nifer fawr o flynyddoedd cyn cyfnod ei hysgrifennu? Pam y gosododd T Rowland Hughes ei nofel *Chwalfa* adeg Streic Fawr y chwarelwyr? Pam y gosododd Marion Eames ei nofel *Stafell Ddirgel* adeg erlid y Crynwyr? Mae darganfod hyn yn aml yn allwedd i ddeall thema'r nofel a chymhelliad yr awdur dros ei hysgrifennu.

Yn *Un Nos Ola Leuad* mae Caradog Prichard yn symud o'r presennol i'r gorffennol.

Mae'n werth dadansoddi nofel o ran cymeriadau, amser a lleoliad i weld beth yw'r patrwm y mae'r awdur wedi ei ddefnyddio.

Mae modd cywasgu amser y nofel i ychydig oriau, megis mewn 'Nofel Chwech Awr' lle mae pob tudalen yn y nofel yn cynrychioli un munud yn y stori er nad oes rhaid glynu'n haearnaidd wrth hyn. Yn *Ulysses* mae James Joyce yn cymryd 18 pennod i ddarlunio 18 awr.

• *Ffantasi ac amser*

Does dim byd yn newydd yn y syniad o allu teithio i fyd arall sy'n wahanol ei amser. Mae'r chwedl am yr eos yn canu i'r mynach a chwedl Rip Van Winkle yn enghreifftiau o fydoedd mewn stori lle mae amser yn wahanol. Gellir cael cymeriadau sy'n anfarwol megis y duwiau mewn chwedlau Groegaidd. Gall cymeriadau fyw mewn byd diamser neu fyd lle mae pob oes yn fil o flynyddoedd megis yn Tolkien. Does dim yn newydd mewn defnyddio cymeriadau sy wedi byw am amser hir iawn i gyfleu byd gwahanol ei ddimensiwn amser. Dyna a wneir yn *Culhwch ac Olwen* pan holir yr anifeiliaid megis Carw Rhedynfre. Rhaid bod Mabon wedi ei garcharu am oes oedd yn ymestyn dros lawer o oesau dyn. Benthyg o chwedloniaeth Gymraeg a wnaeth Tolkien wrth gael cymeriad i ddweud, 'Rwy'n hen. Yr hynaf wyf i, roedd Tom yma cyn yr afon a'r coed; mae Tom yn cofio'r diferyn glaw cyntaf a'r fesen gyntaf.' Mewn nofel gan Gene Wolf, mae gwrach yn esbonio i un o'r cymeriadau, 'Mae holl amser yn bod... Os nad yw'r dyfodol yn byw nawr, sut y medren ni deithio tuag ato? Os nad yw'r gorffennol yn bod o hyd, sut y medren ni ei adael ar ein hôl?' a'n hannog i weld 'holl amser fel eiliad dragwyddol.' Oni ddychmygodd y bardd R Williams Parry am amser yn aros yn llwyr? Mae amser felly yn arf naturiol i awdur sy'n dymuno gwneud i ni feddwl yn ddifrifol am ein ffordd o edrych ar y byd ac ar amser ei hun.

• *Lleoliad daearyddol*

Rhaid gofyn: a yw hwn yn lleoliad realistig mewn lle go iawn neu a ydyw'n lleoliad neu fyd arbennig sy'n ffrwyth dychymyg yr awdur? A yw'r nofel yn darlunio'r cefndir yn fanwl megis yn *Cysgod y Cryman*? Beth yw perthynas y cefndir â'r cymeriadau? A yw'r cefndir yn eu caethiwo a'u llethu megis swbwrbia diwreiddiau yn effeithio ar *Monica* neu gaethiwed i le megis fferm yn *Yn y Gwaed* yn dinistrio'r cymeriadau?

A yw'r awdur yn newid y lleoliad megis yn *William Jones*, sef symud o ardal y chwareli yn y gogledd i'r cymoedd glofaol yn y de? Pa effaith mae hyn yn ei gael ar y cymeriadau – beth sydd gan y lleoliad newydd i'w wneud â thema'r nofel?

Gwendid yw gorddisgrifio lleoliad. Efallai fod Islwyn Ffowc Elis wedi gwneud hynny yn *Cysgod y Cryman* ac mae hyn yn arafu cyflymdra datblygiad y stori.

• *Digwyddiadau allweddol*

Yn aml mae plot yn anodd am ei fod fel cwilt wedi'i wneud o amryw ddigwyddiadau a lleoliadau amser a lle. Un ffordd o ddod i'r afael â phlot yw ceisio cofnodi'r digwyddiadau allweddol/pwysig yn y nofel a cheisio meddwl pam roedden nhw'n bwysig.

Er enghraifft, wrth edrych ar y nofel *William Jones* mae cyfres o ddigwyddiadau allweddol yn digwydd ar gychwyn y nofel. Mae'r ffaith fod Leusa (yn wahanol i wragedd y chwarelwyr eraill) yn treulio'r diwrnod yn galifantio yn y dre yn cael perm, prynu het a mynd i'r pictiwrs ac o ganlyniad yn methu â gwneud swper iddo, yn corddi William Jones i fygwth gadael ei wraig a mynd i'r Sowth.

Wrth ddarllen nofel mae'n talu ffordd gofyn cwestiynau megis:

- Oedd yna fân ddigwyddiadau wedi arwain at y digwyddiad allweddol?
- Pa effaith gafodd y digwyddiad allweddol ar y cymeriad ei hun, y cymeriadau eraill, holl gyfeiriad, a hyd yn oed lleoliad, y stori?
- Beth oedd pen draw'r digwyddiad allweddol a'r penderfyniad? Yn achos William Jones mae'r digwyddiad a'r penderfyniad yn newid holl leoliad a chymeriadau'r stori. Felly hefyd yn nofel Marion Eames, *Stafell Ddirgel,* mae penderfyniad allweddol y prif gymeriad i ymuno â'r Crynwyr yn effeithio arno ef, ei wraig ac ar holl gyfeiriad y stori.

Yr unigolyn a'r gymdeithas yn y nofel

Roedd y nofel glasurol realaidd yn medru cyfleu darlun cyfan o gymdeithas – *Enoc Huws, Chwalfa, William Jones, Cysgod y Cryman*. Mae dull naratif y trydydd person yn medru rhoi darlun gwrthrychol i ni o gymdeithas, ond pan adroddir y stori drwy lygaid un cymeriad mae'r darlun yn debygol o fod yn llai gwrthrychol a mwy personol. Enghraifft o hyn yw *Un Nos Ola Leuad* lle darlunnir cymdeithas drwy lygaid plentyn. Gwelir y cymeriadau o'r tu allan heb lif meddyliau ac maen nhw'n tueddu i fod yn ddu a gwyn. Does dim darlun o gymdeithas fel y cyfryw dim ond unigolion wedi eu gorliwio gan hynodrwydd neu ddioddefaint. Er hyn gellir hawlio, er nad oes yma ddarlun gwrthrychol o gymdeithas, fod yma ddarlun mwy cywir o fywyd fel y mae.

Symbolau

Mae symbol yn cyfleu ystyr ddyfnach – a'r ffordd orau o'i esbonio yw drwy gyfeirio at esiamplau pendant mewn llenyddiaeth ddiweddar.

Yn *Dan Gadarn Goncrit* gan Mihangel Morgan mae disgrifiad manwl o gar Maldwyn Taflun Lewis. Mae arwyddocâd i'r car ac mae'r awdur yn pwysleisio ei agwedd ef fel perchennog tuag at y car. Mae'n symbol – hynny yw mae'n cynrychioli rhywbeth: syniadau, cysylltiadau, statws, gwrywdod, nerth, rheolaeth a grym. Mae'r ffaith fod y cymeriad hunanol yn lladd plentyn wrth ddifyrru ei hun drwy yrru'r car yn gyflym yn dweud y cwbl am y cymeriad.

Mae'r car felly, nid yn unig yn gar, ond yn arwydd o rywbeth mwy sef hunan-dyb a hunanoldeb y cymeriad.

Yn stori James Joyce, *Y Meirw* mae eira yn cael ei ddefnyddio fel symbol ac mae cyfeiriadau cyson at eira yn y testun. Mae James Joyce yn dangos pa mor farddonol y gall stori fer fod drwy greu naws arbennig a defnyddio symbolaeth yr eira i gyfleu tristwch marwolaeth sy'n dod i bob un yn ddiwahân.

> Roedd wedi dechrau bwrw eira eto. Gwyliai'n gysglyd y plu eira, ariannaidd a thywyll yn syrthio ar osgo yn erbyn golau'r lamp. Roedd yr amser wedi dod iddo gychwyn ar ei daith tua'r gorllewin. Oedd, roedd y papurau newydd yn iawn: roedd yr eira'n gyffredinol dros Iwerddon i gyd. Roedd yn disgyn ar bob rhan o wastadedd tywyll y canolbarth, ar y bryniau di-goed, yn syrthio'n fwyn ar Gors Alen, ac ymhellach i'r gorllewin yn disgyn yn fwyn i donnau terfysglyd y Shannon, yn syrthio hefyd ar bob rhan o'r fynwent unig ar y bryn lle'r oedd Michael Fawley wedi'i gladdu. Gorweddai'r lluwchfeydd trwchus ar y croesau cam a'r cerrig beddau, ar bigau'r llidiart bach ac ar y drain noeth. Llesmeiriai ei enaid yn araf fel y clywai'r eira yn disgyn yn wan drwy'r cyfanfyd, yn disgyn yn wan fel disgyniad eu diwedd olaf, ar y byw a'r marw i gyd.

Gall awdur ddewis symbol sy'n amlwg megis brain. Yn nofel Caryl Lewis *Martha Jac a Sianco* mae'r brain, a'r piano, yn symbolau cryf iawn. Bu brain yn symbol o anffawd ac anlwc erioed ac mae'r lliw du hefyd yn cysylltu ag anffawd a marwolaeth.

Gall awdur greu symbol sy'n arwyddocaol o fewn y stori neu'r nofel arbennig honno yn unig megis y piano yn nofel Caryl Lewis.

Gweithredoedd symbolaidd

Nid gwrthrychau yn unig sy'n medru bod yn symbolaidd. Gall gweithredoedd hefyd. Pan fydd Siwan yn y ddrama *Siwan* yn tynnu ei choron mae'r weithred yn symbol ei bod hi'n diosg ei chyfrifoldeb, ac ar ddiwedd y ddrama mae ailwisgo ei choron yn symbol o ailafael yn ei chyfrifoldeb a'i dyletswyddau.

Cefndir neu leoliad symbolaidd

Gall cefndir neu leoliad fod yn symbolaidd hefyd. Gall nofelydd ddefnyddio tu mewn i dŷ fel symbol o gaethiwed rhigolau a osodir gan gymdeithas, a gall byd natur gwyllt tu allan fod yn symbol o ryddid y greddfol a'r cyntefig ynon ni – megis ymddygiad Blodeuwedd yn y ddrama *Blodeuwedd.*

Alegorïau

Mewn alegori, megis *Chwedlau Aesop, Animal Farm*, George Orwell a *Taith y Pererin*, Bunyan, mae ystyr arall, ddyfnach i'r cymeriadau a digwyddiadau mewn nofel.

Mae elfennau alegorïol cryf yn storïau a nofelau Robin Llywelyn. Yn *O'r Harbwr Gwag i'r Cefnfor Gwyn* mae lleiafrif ethnig mewn perygl a gellid dweud bod yma alegori am leiafrif yn ymladd yn erbyn grym y mwyafrif totalitaraidd.

Mae storïau byrion Mihangel Morgan *Saith Pechod Marwol* yn alegorïol fel rhyw fath o *Chwedlau Aesop*, gyda moeswers ymhob un, sef y modd y mae pob pechod neu ffurf ar hunanoldeb yn gwyrdroi personoliaeth ac yn hunanddinistriol. Brwydr yn erbyn ein gwendidau yw'r frwydr am fywyd gwell a gwâr, ac mae trasiedi colli'r frwydr honno yn *Saith Pechod Marwol.*

Cymeriadaeth

Dyma rai o'r technegau a ddefnyddir gan awdur i greu cymeriad:

- disgrifiad corfforol
- dialog
- gweithredoedd
- llif meddyliau
- barn cymeriadau eraill am y cymeriad
- agwedd yr adroddwr at y cymeriad
- agwedd yr awdur at y cymeriad.

Gweler *Llwybrau Llên* tud 157-167 am ragor o nodiadau ar 'Cymeriadau mewn Llenyddiaeth'.

Detholiad o Themâu

Dewiswyd y detholiadau am eu bod yn cyfleu themâu arbennig, ond hefyd am fod yn y darn nodweddion llenyddol y mae modd tynnu sylw atyn nhw. Yn ogystal â rhoi sylw i'r nodweddion llenyddol dylech chi fel disgyblion nodi beth yw agwedd yr awdur at y thema.

Dylech ychwanegu at yr adran 'Darllen Pellach' y cyfrolau sy'n ymwneud â'r thema rydych chi wedi eu darllen.

DYCHAN A BEIRNIADAETH GYMDEITHASOL

"Sori!" medda Siân un bora Sul. "Ti sy'n mynd â Gwenlli i'r capel heddi."

...Chwara teg i Siân, to'n i'm yn meindio mynd lawr i Gaerdydd i ollwng Gwenlli yn yr Ysgol Sul. Fyswn i'n picio i mewn i weld Jero Jones, y Dysgwr, ne' rywun i hel atgofion am yr hen ddyddia pan o'dd na ffasiwn beth â chymdeithas yn y lle 'ma, pan o'dd dyn yn siarad efo'i gymydog yn hytrach na thyfu aspersions am y cloddia a chau ei hun yn y gazebo i yfad yn slei ar ei ben ei hun.

Ond ail gesh i, ia, a thrydydd a phedwerydd hefyd, achos ma' capeli ffor' hyn wedi gweld drw' rieni dioglyd sy'n dympio'u plant a'i gleuo hi o'na. Tydi'r Ysgol Sul ddim yn dechra tan ganol y gwasanaeth a ma'n rhaid i'r rhieni aros efo'r rhai bach. Peth peryg ar y naw ydi gneud ffafr efo'ch partnar. Ddim jest un bora Sul o'dd hyn... O'n i wedi seinio contract heb hyd yn oed ei weld o!

Parcio'r Peugeot bach ar bishyn chwech tua hannar milltir lawr lôn o'r capal. Ofn nes o'n i'n swp sâl tolcio'r Jag a'r Volvo Awst bob ochor i mi. Gwenlli'n strancio ddim isho mynd a'i thad hi'n dyheu am yr hen ddyddia pan o'dd o'n rhydd i ddeud na toedd ynta ddim isho mynd chwaith.

Cario Gwenlli mewn i'r cyntedd.

"Croeso, gyfaill!" medda'r dyn wrth y pyrth a rhoi copi o'r *Caniedydd* newydd i mi. Yr horwth sol–ffa 'na sy'n drymach na phlentyn pum mlwydd oed. Gwyn eu byd y rhai sy'n llwythog a blinderog canys hwy a gânt gopi am ddim o CD *digitally-remastered* ddiweddara Williams Pantycelyn, yr hon a fydd yn Neg Uchaf *Y Cymro*, hyd byth bythoedd, amen.

Nelu am y sêt gefn allan o'r ffor' reit sydyn ond wrth gwrs ma' Gwenlli wedi gweld ei ffrind o'r ysgol feithrin, tydi, ac ma'n rhaid, rhaid, rhaid mynd i ista i'r meincia croes yn y ffrynt, er mwyn Duw, lle ma' gweddill Cymru'n medru syllu arnoch chi! Tasa'r Cyfrifiad wedi gofyn y cwestiwn mi fysan nhw wedi ca'l gwbod bod na fwy o bobol yn dŵad i'r capal yma nag sy 'na yn y byd mawr crwn i gyd. Ma' nhw'n dylifo i mewn fatha lli Awst ac yn plygu'u penna i ddeud gair. Fyswn inna wedi licio deud gair hefyd ond toedd fiw imi ddeud o yn Nhŷ yr Arglwydd. Dyna lle'r o'n i, yr haul yn twnnu mewn trw'r ffenast, yr organ yn canu emyn-dôn hyfryd; Stella Artaith yn dobio tu mewn i 'mhen i fel cosb am be nesh i neithiwr, Gwenllian Arianrhod yn gwingo fatha cnonyn ar 'y nglin i ac yn gweiddi 'Mami! Mami! Mami!' trw' gydol y weddi a'i thad hi'n gweiddi 'Mama-mia'!

Mae'r dyn sy'n codi yn y sêt fawr yn edrach yn gyfarwydd. Ond wedyn ma' pawb sy'n deud stori'n gyfarwydd, tydi? Wrth iddo fo ddechra gneud y cyhoeddiada o'dd ei lais o'n swnio'n union fatha rhywun o'n i'n nabod yn y 'New Ely' ers talwm.

Dai Corduroy – y con'!

Be ddiawl?

Tro dwutha welish i o o'dd o'n piso ar wal y 'Chinese' ar ôl stop-tap. Heddiw ma' gynno fo newyddion drwg i ni. Ma' Undeb yr Annibynwyr wedi gwrthod uno'r enwada. Sawl Duw sydd? Un Duw sydd medda'r Rhodd Mam ond ma' 'na lot fawr o gapeli ac ma'r Undeb isho gneud yn siŵr bod nhw'n dal yn wag. Fel y pwrs. Fel yr ystyr.

Ma' 'na fwy o blant yn y set fawr nag sy 'na o bobol yn y gynulleidfa, ac mae hi'n cymyd tragwyddoldeb maith iddyn nhw ddeud eu hadnoda. Ond chwara teg i'r weinidogas bach ifanc 'ma sgynnon ni, ma' hi'n nabod bob un wrth eu henwa.

"Gwenllian Arianrhod," medda hi'n annwyl. "Oes 'da ti adnod i ni?"

Mudandod llwyr.

Dim sill. Dim ebwch. Dim byd.

Dim ond sefyll fan'na'n siglo'i hun a pigo'i thrwyn.

"Sa i'n credu bo hi lan man 'na, ody hi?" medda'r weinidogas.

Gynulleidfa'n chwerthin, Gwenlli'n symud ei bys o'i thrwyn i'w cheg ac yn chwerthin efo nhw.

"Ti wedi anghofio, wyt ti?" medda'r golar gron. "Paid â becso! Wy i'n siŵr bo Mami'n gwbod!"

Llond capal o bobol yn troi rownd yn eu seti ac yn sbïo o'u cwmpas fatha tasan nhw yn Steddfod yn disgwl i fardd y gadar godi...

"Dadi!" medda'r fechan fradwrus a 'mhwyntio fi allan i bawb.

Cochi at 'y nghlustia, cachu lond 'y nhrowsus deirgwaith a sylweddoli na toedd gin i ddim dewis ond rhyw led-godi wysg 'y nhin o'r set a phromtio'r adnod yn gryg: "Myfi yw..." me fi.

"Ah! Chi yw..." medda'r weinidogas.

"Naci," medda fi. "Myfi yw'r...' – honna ydi'r adnod!"

Tyd 'laen, Gwenlli bach, wir Dduw! Gna siâp arni, nei di? "Myfi yw'r... Myfi yw'r... Myfi yw'r..."

Ac yn y diwadd dyma'r geiniog yn syrthio. Mi benderfynodd yr hogan bach gymyd trugaredd ar yr hen ddyn ei thad a chan lefaru hi a lefarodd yn groch: "Myfi yw'r bara brith!" medda hi.

Bonllef o gymeradwyaeth! Pob enaid byw yn y lle yn syllu ac yn gwenu'n glên arna i. Er mwyn dyn! O'dd hi wedi dŵad i hyn, oedd? O'n i wedi manijo cadw allan o'u crafanga nhw ers blynyddoedd ond rhy fyr yw tragwyddoldeb maith, ia? Os na chân nhw chi tro cynta rownd mi cân nhw chi trw'ch plant. O'n i wedi derbyn sêl bendith Undeb yr Annibynwyr!

Walia Wigli, Dafydd Huws

Darllen Pellach

Mae hiwmor yn arf cryf iawn wrth ddychanu – sef gwneud hwyl am ben gwrthrych neu nodweddion er mwyn dangos mor ffug neu atgas ydyw.

Dyddiadur Dyn Dwad, Goronwy Jones
'Lazarus', 'Gyrfa Chwist' a 'Fur Elise' – *Twist ar 20,* Daniel Davies
Dychanu'r byd academaidd ac ysgolheictod gorfanwl a wna Mihangel Morgan yn 'Prologomena' – *Cathod a Chŵn,* a dychanu'r byd llenyddol Cymraeg, yn arddull *Un Nos Ola Leuad,* yn 'Recsarseis Bwc'.
Iesu Tirion, Lleucu Roberts
Y Dyn yn y Cefn Heb Fwstash, Eirug Wyn
Ffydd Gobaith Cariad, Llwyd Owen
Atyniad, Fflur Dafydd (Dychanu'r criw ffilmio a aeth i Enlli.)

CASINEB

Casineb

Clywodd sŵn car yn aros o flaen y tŷ. Yr oedd yn adnabod ei sŵn yn iawn, yr hen anghenfil hyll iddo fo. Helô, sŵn dau ddrws yn cau. Aeth Gladys Davies at y ffenest a symudodd y llenni'n llechwraidd i gael gweld yn well.

Y nefoedd wen! Yr oedd yn mynd â geneth i'r tŷ. Be wnâi hi? Mae'n rhaid ei bod yn hwran. Be ddeuai o'r lle 'ma? Troi stad o dai newydd parchus mewn pentref bach tawel heddychlon yn Stryd Sodom. Pobl barchus wedi byw yma drwy'r amser, a hwnna'n dod â'i hwrod i'w canol heb falio dim am neb. Roedd y byd wedi mynd â'i ben iddo'n llwyr.

Y nefoedd wen! Beth petai'n ferch ddieithr? Efallai nad oedd yn ei adnabod o. Efallai nad oedd wedi clywed amdano na'i weld erioed o'r blaen. Be wnâi hi? A ddylai ffonio'r heddlu? Hy! pa haws oedd neb o ffonio petha felly? Duw a ŵyr, hwy oedd wedi gadael i'r adyn fynd yn rhydd yn y lle cynta, y giwaid iddyn nhw.

Dechreuodd grinsian ei dannedd wrth ystyried yr annhegwch, a cherddodd y gegin er mwyn i'w thymer godi'n iawn. Yna aeth i nôl y procer. Hon fyddai'r ddefod pan fyddai Gladys wedi gwylltio'n iawn. Byddai'n estyn y procer, a rhoi'r byd ar ganol y llawr, a'i guro a'i leinio a'i ffonodio'n ddidrugaredd nes bod y pwl drosodd, a'r cynddaredd wedi ei liniaru drwy chwys a nerth bôn braich.

Ond heno nid y byd drwg o'i chwmpas oedd ar ganol llawr y gegin, ond Meredydd Parri. Ffonodiodd Gladys ef yn orffwyll i farwolaeth, saethodd ef, gosododd grocbren ar ganol yr ystafell a chrogodd ef, torrodd ei ben i ffwrdd â'i phrocer pan oedd ar ei liniau o'i blaen yn sgrechian am drugaredd, a dechreuodd ei guro wedyn yn ddi-baid nes daeth y boen.

O Dduw annwyl. O Dduw annwyl. Eisteddodd ar y gadair wrth y bwrdd. Gadawodd i'r procer ddisgyn ar y carped. Yr oedd y chwys yn rhedeg i'w llygaid a'i cheg, ac yr oedd y boen fwyaf ofnadwy yn ei mynwes.

Ac Yna Clywodd Sŵn y Môr, Alun Jones

Darllen Pellach

Yn y stori 'Dicter' gan Mihangel Morgan fe ddarlunir casineb ond mae tro yng nghynffon y stori lle datgelir mai ffuglen yw'r cyfan.

Un math arbennig o ddicter neu gasineb yw 'Cymhlethdod Oedipus' – lle mae'r plentyn yn casáu ei dad a hyd yn oed eisiau ei ladd ac yn caru'r fam yn ormodol. Gwelir hyn yn *Un Nos Ola Leuad* lle mae'r plentyn yn gaeth i'w fam ac yn methu ymryddhau i garu neb arall ac mae dicter yn cael ei anelu at yr Ewythr a fu'n camdrin ei fam.

'Câr dy Gymydog' a 'Tra bo Dau', *Saith Pechod Marwol*, Mihangel Morgan
'Cennydd', *Cathod a Chŵn*, Mihangel Morgan
'Dwy Storm', *Ffair Gaeaf*, Kate Roberts
Y Graith, Elena Puw Morgan
Casineb yn erbyn yr Indiaid, *I Ble'r Aeth Haul y Bore,* Eirug Wyn

Casineb yn arwain at Ddial

"Fe ges i fy rhybuddio ddigon gan bawb: 'Dyna wraig nad yw hi wedi meddwl am ddim byd ond arian', meddai pawb wrtha i o hyd. Na, does gyda chi ddim esgus o gwbwl. A finnau'n blentyn bach fel ag yr own i, na ofynnodd am gael ei eni, fe fynnoch chi ei ddiarddel, ei gosbi, ei felltithio fel pe bai e'n euog ac nid yn diodde am y drosedd oeddech chi wedi'i chyflawni".

Pwysai'r weddw yn erbyn briciau'r lle tân bron â mygu, ei gwallt ar chwâl a'r sgarff wedi datod, yn teimlo bron llewygu os nad bron marw.

"Dyma chi ar ben eich hunan," ychwanegodd y ferch, "yn hollol unig yn y tŷ mawr yma, yn weddw gyfoethog. Dim plant yn y tŷ i'ch disgwyl chi nôl o'r caeau gyda'r hwyr, ond digon o ddifaru, rwy'n siŵr, a hwnnw'n eich poenydio cyn gynted ag y dodwch chi'ch pen ar y gobennydd. Wel! dwedwch rywbeth i'ch amddiffyn eich hun!"

Safodd yn stond o flaen y weddw gan edrych yn herfeiddiol dawel.

"Rwy'n gwybod eich bod chi wedi difaru. Mae'r bobl sy'n hongian delw o'r Duw trugarog ymhobman, mae gan y rheiny angen maddeuant, mae arnyn nhw ofn, maen nhw'n gweddïo yn ddi-baid. Mae'r dieuog yn gwybod yn iawn y bydd Duw yn darllen eu meddwl ac yn maddau iddyn nhw oherwydd eu hewyllys da. Fe fyddwn i'n dweud wrtha i'n hunan: 'gobeithio fod ganddi esgus cryf, cadarn, di-droi-'nôl pan ddof o hyd iddi... achos does dim iaith i gael yn y byd i fynegi'r hyn a deimlaf tuag ati'. Ac nawr, fe ddweda i'r gwir wrthoch chi: Dyw'r hyn a ddwedais i gynnau fach o flaen y dynion yna i chware ar eu teimladau nhw ddim yn wir. Ddim yn hollol.

Yn ddeuddeg oed, ar ôl chwe blynedd o dorcalon, a finnau, rwy'n credu, yn barod iawn i farw, fe ges i fy nanfon at bobol dda oedd newydd golli eu hunig ferch. Fe ddaethon nhw'n hoff ohona i, fy ngharu, gofalu amdana i a'm hanwylo. Fe fuon nhw bron â gwneud ladi fach ohona i. Tra buon nhw byw, prin wnes i feddwl amdanoch chi. Roeddwn i wedi addo iddyn nhw na wnawn i ddim chwilio pwy oeddech chi, na gwneud dim heb ofyn eu cyngor. Achos roedden nhw'n gwybod. Roedden nhw'n gwybod ble a phryd y ganwyd fi, lle'r oedd fy mam yn byw, a phan laddwyd nhw mewn damwain ychydig fisoedd yn ôl, fe ddes i o hyd i'ch enw chi ymhlith eu papure nhw. Ches i ddim tawelwch meddwl nes dod o hyd i'ch tŷ chi. Fe fues i'n siarad gyda gwahanol bobol. Mae pawb yn ddrwgdybus a swil, ond rwy'n gwybod sut mae ennill ymddiriedaeth pobl. Fel y gwnaeth gwas gyda'ch rhieni ennill eich serch erstalwm. Ond roedd yn well gyda chi ddyn ariannog pwysig hanner cant oed. Mewn gwirionedd, ar fy nhraul i yr ych chi'n mwynhau'r byd da sydd arnoch chi. Pe taech chi heb fy ngadael i, fe fyddech chi'n briod â'r dyn tlawd, a ffarwel i'r miliynau."

"Gyda llaw", ychwanegodd y ferch, yn amlwg wedi blino, "faint o arian adawodd y dyn yna i chi?"

"Chewch chi ddim," ymdrechai'r weddw i ateb, yn llygadrwth.

Chwarddodd y ferch yn wawdlyd.

"Dwed, ble mae e, dy fab, dy fab annwyl, dy olaf-anedig, Siôn Llygad y Geiniog, yr olaf o'r llinach? Ydy e'n cuddio yn y dillad gwely yn y coffor? Neu yn y gwair? Ar waelod yr hen stwc? Neu dan blancyn tu ôl i dy wely di? Dere nawr, dwed wrtha i, mae arna' i eisiau ei weld. Roedd arna i gymaint o awydd gweld yr un a gymerodd fy lle i yn dy galon. Wrth reswm, dyma hen amser cas i ti. Achos os na wnei di, fe fydd helynt blin yn dy aros di – helynt blin iawn. Meddylia nawr, – mi fyddai pawb yn gwybod yn Artigueloutaa, yn Ousse, yn Soumoulou, i'r weddw Layus adael plentyn yng ngofal y Plwy', un mlynedd ar hugain yn union yn ôl. Yr arswyd! Dyna stori, rwy'n crynu wrth feddwl..."

Ac yna chwerthiniad a yrrodd ias oer drwy'r weddw.

"Cythraul wyt ti," ebe hi'n floesg, "cythraul go iawn."

"Felly rwyt ti'n cytuno?"

"Fan yna," ebe'r weddw. Pwyntiodd at estyll y nenfwd. "Yn y gornel, mae un plancyn yn rhydd."

Dringodd y ferch i ben y bwrdd a phwyso'i throed ar y cwpwrdd dillad.

"Wel, wel! Mae e'n drwm," pryfociodd hi. "Mae 'na dipyn go lew yn fanna. Mi allwn gredu'n hawdd mai sachaid fach o flawd sydd yma."

Fe'i tynnodd o'i guddfan a rhwystro, ag ystum, y weddw rhag nesáu at ei thrysor er gwaethaf ei herfyniadau cymysglyd.

"Gadewch i ni rannu," ymbiliodd y weddw'n wylaidd, "fe gewch ei hanner ond i chi adael yma am byth."

"Os oes rhywbeth sy'n gas gen i," ebe'r ferch yn bendant, "arian yw hwnnw. Arian fu'n gyfrifol am ddwyn popeth oddi arna i: tad, mam, cartre, gwely, a'm gadael heb ddim ond dwy law i weithio a llygaid i wylo dagrau. Mae'n gas gen i arian!" meddai gydag angerdd. "Rwy'n ei gasáu gymaint ag yr wy'n eich casáu chi. O'r ffordd, fenyw, a gadewch i mi dwymo dipyn bach."

Chwalodd y lludw'n egniol a chwythu ar y marwor.

Roedd y weddw wedi plethu ei dwylo ac yn gwylio'r cyfan â llygaid erfyniol a dychrynedig.

"Rych chi'n gwneud hyn i'm dychryn i, ond ych chi?" meddai hi'n bryderus. "Wnewch chi ddim mewn gwirionedd. Does neb yn llosgi arian. Mae'n rhy werthfawr. Mae'n golygu cymaint o waith, cymaint o flynyddoedd."

"Ydy," ebe'r ferch yn feddylgar wrth ailgynnau'r tân gyda'r bwndel cyntaf o arian papur. "Cymaint o waith ers cymaint o flynyddoedd: 'Madlen, cod y groten ddiog, mae'n bump o'r gloch yn barod! Madlen, cer i dorri coed! Madlen, llond berfa o fetys! Madlen, llysiau ar gyfer y cawl!' Dwed tata wrthyn nhw! Maen nhw'n mynd – un, dau, tri, dyna nhw wedi mynd!"

Mygodd y weddw gri ddirdynnol. Nid oedd y bwndeli papurau yn dynn iawn a threiddiodd y tân drwyddyn nhw'n gyflym gan gochi eu hymylon cyn eu llosgi'n llwyr.

"O! Duw a'm helpo!" galarodd y weddw, "dyna gythraul wyt ti. Pam gwneud hyn i mi? Druan ohona i, sut y gwyddwn i beth oeddwn yn 'i wneud? Down i ddim am wneud hyn, na, rown i'n wallgo. O! f'arian annwyl i."

Taflodd ei hun ar ei phengliniau o flaen y tân a cheisio achub rhai bwndeli. Llosgodd ei bysedd, ond roedd hi'n ymddangos yn hollol ddideimlad.

"Ugain mlynedd o'm bywyd i," ail-adroddai dan igian, tra roedd ei dwylo duon yn ceisio diffodd y fflamau.

"A chithau'n chwerthin, y sguthan."

"Ac eto," ebe'r ferch, "Dw' i ddim hyd yn oed yn mwynhau hyn."

Trodd ei chefn ar y weddw oedd yn dal i gwynfan yn ei chwrcwd a cherddodd yn gyflym at y drws. Llifai dagrau mawr dros ei gruddiau.

'Yr Ymwelydd', *Storïau Tramor,* Yvonne Escoula

Darllen Pellach

'Pwy fyth fyddai'n fetel?' *Saith Pechod Marwol,* Mihangel Morgan
'Lazarus', *Twist ar 20,* Daniel Davies
Y Dylluan Wen, Angharad Jones
Ffydd Gobaith Cariad, Llwyd Owain
Yn y Gwaed, Geraint Vaughan Jones

DIFFYG CYFATHREBU

Methu Cyfathrebu

Dydd Mercher, 17 Medi 1997

Pryd ddaru chi sylweddoli, Nhad, fod petha'n mynd o chwith i chi? Eich bod chi'n mynd yn ddiarth i chi'ch hun. Wrth ddarllan llyfr, tybad? Yng nghanol brawddeg. Gair. Un gair. Yn gwrthod symud o'i le. Yn gwrthod bydjo fel byddach chi'n 'i ddeud am ffenast y gegin estalwm. Neith hon ddim bydjo. Y gair yn gwrthod bydjo o'ch tafod chi. Yn fudan yn 'ch ymennydd chi. Fedra chi jyst ddim mo'i ddeud o. Ond o'r diwedd. O'r diwedd. Yr ildio. Y gair cyfarwydd yn llithro'n ôl i ystyr y frawddeg. Fel'na sylweddoloch chi gynta 'rioed fod petha'n dechra mynd o'i le yn "yr hen gorffyn", chwedl chitha. A mi rydach chi'n chwys oer drostoch. Twt lol, meddach chi wrtha chi'ch hun. Dydi o ddim byd, siŵr. 'Di blino dwi. Hwyrach. Efallai. Ti'n iawn? medda Mam o bellter wrth 'ch ochor chi. Pam? meddach chi'n herfeiddiol. A 'dach chi'n trio eto i ddeud y gair. A mae o yna ar eich tafod chi yn saff, yn ddiogel, yn felys fel – wrth gwrs! – "da-da". A 'dach chi 'di gwirioni gyn gymint nes 'ch bod chi'n deud yr holl enwa erill y gwyddoch chi am dda-da. Fferins. Losin. Mincing. Petha-da. Jou. Melysion. A hyd yn oed swîts. Y gair oedd gynna'n Glawdd Offa yn eich crebwyll chi. A thu ôl i'r Clawdd betha anghyfiaith fel "home" a "biti-weld o" a "TLC-sy-gynno-fo-isio-rŵan", a "sincio mae o". Styfnigrwydd un gair yn gwrthod bydjo i ola dydd y deud yn gychwyn petha. Yn y dechreuad yr oedd y gair.

Rhaid i mi fyned y daith honno dy hun, Aled Jones Williams

Darllen Pellach

Clust Fyddar, Lleucu Roberts
'Ffrae', *Cathod a Chŵn,* Mihangel Morgan

Unigrwydd

Curai calon y bws yn gyflym, ac felly y curai calon Annie oddi mewn. Curai ei chalon gymaint yn ei meddwl fel yr ofnai i'w gŵr a eisteddai wrth ei hochr ei chlywed.

"Yn tydi hi'n braf, Ted?" ebe hi wrth ei phriod.

"Ydi," ebr yntau, "yn braf iawn."

Iddi hi ymestynnai'r mynyddoedd oedd o gwmpas Creunant o flaen ei llygaid, a deuai gwên dros ei hwyneb wrth feddwl am y dedwyddwch a allai fod iddynt y diwrnod hwnnw wrth lan y llyn ynghanol y mynyddoedd.

Tywynnai'r haul yn gynnes ar ffenestr y bws, a throai hithau ei grudd ato i dderbyn ei holl wres ac ar yr un pryd yn ceisio dal y rudd arall cyn nesed ag y medrai i'w phriod i ddal pob gair a ddeuai o'i enau. Ni feddyliai am ddim ond am y prynhawn yr oedd i'w dreulio gyda'i phriod ar y mynydd...

Ei syniad hi oedd cael y tro yma i'r mynyddoedd ar y Sul fel hyn i edrych a gâi hi rywfaint o'i hamser caru yn ôl. Roedd blwyddyn a hanner er eu priodas, ac nid oedd hi yn rhyw fodlon iawn. Yn ôl ei natur farddonol hi o edrych ar bethau, disgwyliai i fywyd priodas fod yn barhad o dymor caru, er ei bod dros ei deg ar hugain pan briododd. Aethai ei gŵr yn fwy rhyddieithol ar ôl priodi. Iddo ef, yn nhermau ei dref enedigol, rhyw 'setlo i lawr' oedd priodi; slipanau, tân, baco, papur newydd, a'i wraig yn gorffen y darlun trwy eistedd ar gadair gyferbyn yn gweu. Ni ddaeth i'w feddwl ef bod angen am siarad iaith garu ar ôl priodi. Teimlai hithau iddi golli cariad wrth gael gŵr.

Ted Williams oedd ei enw, ond Williams y gelwid ef ym mhobman, ac eithrio ar ei botel ffisig, a chan ei wraig. Mr Williams oedd ar ei botel ffisig, a Thed y gelwid ef gan ei wraig. Ar ôl priodi daeth Ted yn Williams iddi hithau yn ei meddwl, er mai Ted ydoedd ar ei thafod. Fel Williams y gŵr y meddyliai amdano.

I geisio gwrthweithio'r teimlad hwn, penderfynodd gael diwrnod yn un o'u hoff gyrchfannau adeg caru, a gwneuthur Williams yn Ded eto'n ôl. Bu'n ffodus iawn yn ei chyfle i'w hudo am dro ar y Sul. Roedd yn dda gan ei enaid yntau gael gadael y dref, ac yn enwedig gadael Lloyd a'r Cyfarfod Athrawon. Pa beth bynnag a drinnid mewn Cyfarfod Athrawon, byddai'r Lloyd yma'n sicr o'i wrthwynebu ef...

... Disgynnai'r lleithder yn ddafnau bychain oddi wrth wallt Annie. Wrth gyrraedd y tŷ gwelent ddyn yn cerdded yn ôl a blaen o flaen y llidiart fel plisman ar ei ddyletswydd. Adnabu Ted ef ar unwaith. Jones y Drygist ydoedd.

"Lle 'dach chi wedi bod?" oedd ei gyfarchiad cyntaf i'r ddau. "Rydw i wedi bod yn chwilio amdanoch chi ymhobman ers pedwar o'r gloch."

"Am dipyn o dro," meddai Annie.

"Dy!" ebe Jones, "mi fuo na le yn y Cwarfod Athrawon y pnawn yma. Mi fasa'n werth i chi fod yno. Mi gododd Wmffras fusnes y trip yma i fyny wedyn, ac mi aeth Lloyd yn gacwn gwyllt. Mi alwodd Wmffras yn bob enw. Ond rhyfedda fu erioed, dyma'r Morgans bach hwnnw, sydd yn brentis efo Wmffras, wyddoch chi, y cradur bach swil hwnnw sydd ofn i gysgod, yn codi ar 'i draed ac yn peri i Lloyd ista i lawr. Rywsut neu'i gilydd, wedi dychryn wrth weld rhyw gorffilyn bach felly yn peri iddo fo ista i lawr, mi ddaru Lloyd ista i lawr a fedra fo ddeud dim. Roedd pawb yn edrych yn syn, ac mi drawodd yr Arolygwr, 'Gras ein Harglwydd'."

Ni chlywodd Annie'r cwbl, oblegid rhedodd i'r tŷ i baratoi swper. Roedd yn rhy hapus i ofyn i Jones ddyfod i gael swper gyda hwynt.

Daeth ei gŵr i mewn a golwg wahanol arno rywfodd. Wrth fwyta ni ddywedodd air ond edrychai ar ei blât cig. Edrychai hithau ar yr un peth, ond yr oedd ei meddwl yn bell yn y mynyddoedd. Ai dros bob digwyddiad a thros bob gair a thros bob edrychiad o eiddo Ted y prynhawn hwnnw. Roedd yn hapus iawn. Ted oedd Ted wedi'r cwbl.

Ymhen tipyn, ebe Williams, "Mi roeswn y byd yn grwn am fod yn y Cwarfod Athrawon yna'r pnawn yma."

Bu agos iddi hi â thagu. Daeth dagrau mawr i gronni yn ei llygaid. Ond ni bu hynny'n hir. Ymhen ennyd chwarddodd yn aflywodraethus dros y tŷ. Cododd ei phriod ei ben ac edrychodd yn syn arni.

'Y Golled', *Rhigolau Bywyd,* Kate Roberts

Darllen Pellach

Natur ynysig dyn yw un o brif themâu Kate Roberts megis yn y stori 'Y Condemniedig' yn *Ffair Gaeaf,* lle mae dyn, er ei fod yn marw, yn methu dweud wrth ei wraig gymaint y mae'n ei charu.

Eiliadau, Aled Lewis Evans
'Beti a'i Phobol' a 'Hel Mecryll', *Twist ar 20,* Daniel Davies
'Y Golled', *Storiau'r Dydd,* Eigra Lewis Roberts
'Neb Ond y Sawl a Ŵyr', *Storiau'r Dydd,* Jane Edwards
'Y Dyn Unig', *Ochr Arall y Geiniog,* Gwilym Meredith Jones
Martha Jac a Sianco, Caryl Lewis – unigrwydd Martha
'Un Briodas' (drama fer), *Rhyfedd y'n Gwnaed,* John Gwilym Jones
Monica, Saunders Lewis

GORMES

Gormes dosbarth a gormes awdurdod

Nofel gan awdur â neges Marcsaidd yw Y Pla *– protest sydd yma yn erbyn gormes awdurdodau ar y dosbarth isaf mewn cymdeithas – y gweithwyr. Yn y nofel* Y Pla *mae William Owen Roberts yn defnyddio lleoliad amseryddol ymhell yn ôl mewn hanes – sef 1347, flwyddyn cyn y Pla Mawr. Yn y cyfnod hwnnw roedd y dosbarth isaf mewn cymdeithas, sef y taeogion, yn gaeth i'r drefn o wasanaethu eu harglwydd heb unrhyw ryddid o gwbl. Ond fe newidiodd y Pla Du'r cyfan gan greu prinder llafurwyr a rhyddid i'r taeogion i fod yn weision cyflog. Neges y nofel, sy'n cael ei gyfleu mewn ffordd drawiadol a dramatig ar ddiwedd y nofel ar ffurf y CIA yn glanio mewn hofrennydd, yw bod gormes awdurdod ar y gweithwyr yn dal o hyd – yr ormes newydd yw Cyfalafiaeth.*

Allan i'r llwydrew a thrwy'r barrug, allan o'r sgubor cerddodd Chwilen Bwm, Nest ferch Iorwerth Gam a'r babi. Roedd hi'n fore caled a'r aer yn siarp fel rasal. Tasgodd anadl pawb yn ffrwd lwyd o'u genau ac roedd y taeogion wedi'u lapio'n dynn o'u corun i'w sawdl rhag yr oerni.

Aeth y milwr â nhw draw i'r neuadd a cherddodd y pedwar i mewn. Ar ei gwrcwd roedd yr arglwydd yn dal ei ddwylo o flaen y tân mawn a losgai'n feunyddiol bellach. Sbeciodd Gwythwches o'r ystafell nesa i weld pwy oedd yno. Eisteddodd Nest ar y fainc ond safodd Chwilen tan grynu.

Cododd yr arglwydd toc:

"Gwin?"

Cerddodd draw at y cloc.

"Wna i ddim afradu geiria. Cynnig sy' gin i, Chwilan. Cynnig hollol deg. Penderfyna di os wyt ti am 'i gymryd o ai peidio."

Ciledrychodd y taeog arno.

"Mi wn i be ydi dy gynllunia di. Ti am fynd yn ŵr gwaith i Gwely Cadwgan at Einion ap Gruffydd... Ond os ei di, yna gŵr gwaith fyddi di... Hyd nes y medri di hel digon o bres at 'i gilydd i brynu lle i chdi dy hun... Dyna'r bwriad ynte?"

Pesychodd y babi.

"Ond dwi'n ddyn teg. Ac mae gin i well cynnig i wneud iti. Mi wn i dy fod ti'n weithiwr caled... Ti wedi bod yn daeog da ac yn daeog ufudd i faerdref Dolbenmaen... A ddaw yr hen drefn fyth yn 'i hôl... Mae'r Pla wedi'i chladdu hi unwaith ac am byth... Yn fyr, be dwi'n 'i gynnig ydi hyn: tir ar osod iti yma."

Cododd Nest ei phen ac edrych ar Chwilan ond dal i syllu ar y tân mawn wnaeth o.

"Os llwyddi di i gael dau ben llinyn ynghyd fyddi di'n denant rhydd ond os eith pethau o chwith mi elli wastad fod yn ŵr gwaith. Rydan ni'n sefyll ar gilfyn oes newydd, Chwilan. Oes y farchnad a chynhyrchu. Mae i'r oes yma bosibiliada aruthrol inni i gyd. Yn denant ac yn feistr. Mae pob un ohonon ni bellach, o Ddolbenmaen i Siena, licio neu beidio, ar drugaredd y farchnad, ar drugaredd mympwy cyfreithiau arian... Does wybod be all ddigwydd inni, oes newydd gyffrous yn llawn posibiliada... Wnei di fentro dwad hefo ni, bod yn rhan ohoni, Chwilan Bwm? Fasa'r ots gin i iti newid dy enw... Wedi'r cwbwl does neb isio camu i oes newydd yn cario enw trychfil nag oes? Be am Siôn ap Maredydd? Neu Huw ap Siencyn? Be amdani? Y?"

Ond cyn i'r taeog fedru ateb ei arglwydd bu'n rhaid i'r ddau droi am y drws oherwydd... roedd twrw rhyfedd tu allan.

Rhedodd y ddau trwy'r drws.

Ymgasglodd nifer o daeogion eraill ar y buarth a syllu tua'r creigiau a'r coedydd...

A thrwy niwl y bore bach roedd y sŵn yn cynyddu...

Yna o'r llwyd uwch y coed gwelwlas cododd aderyn gwyrdd at un arall ac un arall nes roedd fflyd ohonyn nhw'n codi dros Graig Garn...

O'r coed cerddodd dynion a helmedau a rhai eraill a weiddai'n groch...

... sŵn rhyfedd, diarth

Bellach...

Roedd yr aderyn uwch y dre yn chwalu'r glaswellt ac yn symud fel crëyr glas i fyny ac i lawr y Ddwyfor...

Cododd Chwilen Bwm garreg a'i hyrddio at yr hofrennydd agosa...

Taflodd Mochyn Coed waywffon at aelod o'r CIA ond roedd dwy neu dair o loriau a thanciau'r fyddin Americanaidd eisoes yn croesi'r rhyd... Daeth chwanag a chwanag o filwyr o'r coed...

Hyrddiodd y taeogion garreg ar ôl carreg tuag atyn nhw.

Ond fe wyddai rhai, yn y fan a'r lle, nad oedd eu hanes ond wedi megis dechra.

Y Pla, William Owen Roberts

Darllen Pellach

Lladdwr, Llion Iwan
Casglwr, Llion Iwan
Y Stafell Ddirgel, Marion Eames

Gormes Amser

Peth ingol yw parhad. Croesbren mawr ein bod ydyw, a'r prennau'n tynnu ar draws ac ar hyd. Gorweddwn ninnau yng nghanol y croestynnu, fel petaem ar drugaredd rhyw arteithiwr.

Ysu parhad yw greddf sylfaenol pob creadur, yn ôl Darwin. Ond sicrwydd nad oes parhad yw ffaith sylfaenol ein bod: fe'n genir i farw...

Cefais fywyd cyforiog o brofiad. Teimlais ddwrn profedigaeth a chledr llawenydd. Treuliais oriau mewn tywyllwch. Daeth goleuni eto. Dysgais mai pris cael yw colli.

Mae'r rhan fwyaf o'm cyfoedion wedi mynd bellach. Gwn y dylwn innau dderbyn marwolaeth. Ond ni fynnaf fynd oddi yma. Rwyf yn dal i ysu byw. Gyda holl nerth fy hen gorff bregus glynaf fel gelen wrth y byd. Pan ddihunaf y bore, gwefr yw curiad anghyson fy nghalon i mi. Mae gweithgaredd fy synhwyrau gwan yn fy mywioli: arogl pridd llaith yr hydref, nosweithiau serog, aeddfedrwydd y mwyar duon, aeron cochion y ddraenen wen, eirin pêr ar gangau pigog, ac egroes y rhosyn gwyllt.

Mae'r dyddiau'n byrhau a'r ing yn cynyddu. Ond ni fynnaf i Dduw ei leddfu. Mynnaf gario'r croesbren fy hun. Dim ond felly yr ymdawelaf.

Ni fynnaf gael fy rhoi i orwedd ar oleddf ym mynwent y Dinas gyda gweddill y teulu. Gofynnais yn hytrach am gael gwasgaru fy llwch dros gwm Maesglasau. Y cwm, yn ei niwloedd a'i ffynhonnau, y diolchaf iddo am gael byw...

Ceisiais innau weld fy mharhad ym mharhad y cwm. Yn llif y nant; yng ngoleddf y mynydd; yn y blagur a'r blodau; yn nyfodiad gwenoliaid i'r murddun ym mis Mai; yng nghylch y tymhorau ac yng ngweithgaredd tymhorol y fferm; yng ngeni'r ŵyn; yng nghneifio'r defaid; yn lladd y gwair a'i fedi; yn nhorri'r rhedyn ar lethrau Foel Dinas a'r Foel Bendin.

Ceisiais weld fy mharhad yn llonyddwch digyfnewid cwm Maesglasau.

Ceisiais weld fy mharhad hefyd ym mherthynas hirhoedlog fy nheulu â'r cwm. Bu fy hynafiaid yma yn ffermio ers canrifoedd lawer – ers bron i fil o flynyddoedd, yn ôl cofnod hen Feibl y teulu. Yn 1012, medd ysgrifen bŵl yr inc brown, y daeth rhyw Gethin i amaethu yn Nhynybraich a Maesglasau, a rhyw Gruffydd yn fab iddo yntau, a Llywelyn i ganlyn hwnnw, ac yn y blaen ac yn y blaen, yn geinciau o dadau ac o deidiau. Bu'r gŵr hyn – a'u gwragedd, fe debygwn – yn dystion i holl ddiwygiadau a dadeniau a dirwasgiadau'r milflwyddiant diwethaf: gwrthryfel Glyndŵr, uno Cymru wrth Loegr, dymchwel mynachlogydd, cyfieithu Gair Duw i'r iaith Gymraeg, taenu'r Gair mewn llyfrau print, mynydd tân o bregethau ac areithiau ac emynau, heb sôn am ryfeloedd byd, a holl chwyldroadau amaethyddol a diwydiannol a thechnolegol yr oes hon o iâ...

Bûm innau, drwy ddegawdau fy mod, yn dyst i drawsnewidiadau rhyfeddol. Yn lle'r car-llusg daeth beic modur. Yn lle'r ceffyl gwedd daeth tractor. Yn lle merlen a throl daeth car. Yn lle cannwyll frwyn daeth cannwyll wêr, ac yna lusern baraffin, ac yna olau trydan. Yn lle corff daeth peiriant. Yn lle llaw daeth teclyn. Yn lle llythyr daeth ffôn, ac yn lle'r ffôn, yn ôl a glywais, daeth negeseuon ar sgrîn. Yn lle papur newydd daeth radio a theledu. Yn lle llyfr daeth ffilm. Yn lle Saboth daeth Sul.

Diorseddwyd Duw yn yr entrychion. Yn 1922 hedfanodd yr awyren gyntaf drwy gwm Maesglasau. Erbyn heddiw mae'r Llu Awyr Brenhinol yn ymarfer tactegau rhyfel yng ngofod y cwm, a'u peiriannau lladd yn rocedu heibio eiliadau o flaen eu rhu, yn ystumio heibio Pen yr Allt Isaf a Phen Foel y Ffridd i gyfeiriad Llanymawddwy.

Llenwir y nef hefyd gan rymoedd anweledig: tonnau electromagnetig ein Gabrielau newydd.

Gwelwyd y cyfan gan gwm Maesglasau, a pharhaodd. Parhau mae'r llonyddwch. Parhau mae fy nheulu yma: mae fy nai, a'm gor-nai, yn ffermio saith can erw o'r cwm heddiw, chwe chan erw ohono'n dir mynyddig. Parhau mae cymdeithas y pentref, a diwylliant y fro. Parhau yn unigrwydd blaen y cwm yr wyf innau: mewn hen, hen dy heb drydan, a heb ddŵr ond dŵr y nant. A heb angen mwy ond gwybod bod parhad wedi'i ysgrifio yn y tir.

Felly y bu. Felly y mae. Felly y bydd.

Twyllo fy hun yr wyf, wrth gwrs. Ni welaf yr erydu sydd heddiw ar y cwm, ond y mae yno. Rydym oll yn ddall gerbron llygredd anweledig diwydiannaeth fyd-eang, heintiau anweledig ein ffermio newydd, grymoedd anweledig economi a gwladwriaeth. Daeth llygredd Tsiernobyl i fwrw ar y borfa, haint BSE i fygwth y gwartheg duon cynhenid, braw clwyf y traed a'r genau i fygwth difa'r preiddiau cynefin.

Gweithio i golled mae ffermwr y mynydd heddiw. Nid oes bri ar ffermio mynydd yng nghoridorau grym y gweinyddiaethau amaeth yng Nghaerdydd, yn Llundain ac ym Mrwsel. Blaenoriaethir mentrau amgen. Gofynnol, bellach, yw 'arallgyfeirio'. Troi etifeddiaeth mil o flynyddoedd yn *theme park*. Troi ffordd o fyw yn ffordd o gyflwyno. Troi traddodiad yn anrheg mewn siop. Troi aelwyd yn westy. Troi teulu yn rheolwyr. Troi arfer yn gofnod. Troi bywyd yn hanes.

Bydd buarthau'r ffermydd yn wag, wedi i'r bysys a'r ceir fynd ymaith. A'r ucheldiroedd yn amddifad o ddiadell a dyn.

O! tyn y gorchudd, Angharad Price

Darllen Pellach

Stori Alegorïol yw 'Y Dŵr Mawr Llwyd' gan Robin Llywelyn gyda'r un neges â drama Samuel Beckett, *Dyddiau Hapus* lle mae'r pridd/tywod yn llyncu'r prif gymeriad yn raddol ac yn ei llethu yn symbol o ormes amser ar ein bywydau.

Un agwedd ar y thema gormes amser yw'r syniad bod yn rhaid byw bywyd yn llawn a bod llawer yn colli'r cyfle i fyw'r bywyd y medren nhw fod wedi'i gael oherwydd ofn neu amgylchiadau. Enghreifftiau o hyn yw Martha yn *Martha Jac a Sianco.*

Yn y stori 'Tic Toc' a 'Yr Hen Gi', *Genod Neis* mae Eleri Llewelyn Morris yn pwysleisio mor bwysig yw byw bywyd a pheidio byw drwy eraill neu bod ag ofn byw.

Agwedd arall ar y thema Gormes Amser yw'r syniad bod amser yn dinistrio neu yn dadfeilio pob perthynas. Enghreifftiau o hyn yw 'Colli Nabod', *Genod Neis* a 'Dyma Siân a Gareth', *Cymer a fynnot,* Eigra Lewis Roberts

Gormes ar yr unigolyn

Yr Ysgoloriaeth

Roedd y mab, Agustinyn yn un bach eiddil a gwelw, ond â llygaid fel arian byw yn ei ben, yn un deallus dros ben.

"Fe yw'n hunig obaith ni," meddai'r fam a'i mantell yn dynn amdani ryw noson o aeaf. "Rhaid iddo gynnig am ysgoloriaeth, ac wedyn fe fydd gyda ni rywbeth i fyw arno tra'i fod e'n astudio... Oherwydd mae byw fel hyn ar gardod yn dân ar fy nghroen i...

Ar nosweithiau o rew doedd ganddyn nhw ddim hyd yn oed dân stof y gegin i'w cadw nhw'n gynnes. Aelwyd â'r tân wedi diffodd oedd eu haelwyd nhw. Roedd y plentyn yn deall hyn i gyd, ac yn gallu deall ystyr y gytgan gyson honno "Agustinito, dos di ati."

Caled fu'r frwydr yn y gystadleuaeth am yr ysgoloriaeth, ond fe enillodd e hi, a'r dydd hwnnw, yn sŵn dagrau a chusanu, fe gyneuwyd tân yr aelwyd.

Ac o ddydd y fuddugoliaeth ymlaen, aeth y cywilydd a deimlai Don Agustin wrth chwilio am swydd yn fwy; er mai bwrdd sâl heb lawnder oedd gyda nhw, roedden nhw'n bwyta'r hyn a enillai'r mab, a gyda'r arian ychwanegol roedd y tad yn ei gael drwy weithio yma ac acw, roedden nhw'n dod i ben, fwy neu lai...

"Agustin, at dy lyfrau. At dy lyfrau! Cofia, ti yw'n hunig gynhaliaeth bron, mae popeth yn dibynnu arnat ti! Bydded i Dduw dy dalu dy wobr i ti!" meddai'r fam.

A doedd Agustinito, ddim yn bwyta, na chysgu na gorffwyso, fel roedd e eisiau. Roedd e byth a hefyd yng nghwmni ei lyfrau. Ac felly roedd e'n mynd ati, yn gwenwyno'i gorff a'i ysbryd: y corff gyda diffyg traul a hunllefau; ei ysbryd, gyda phethau oedd yr un mor anodd eu treulio yr oedd ei athrawon yn mynnu ei fod yn eu llyncu. Roedd disgwyl iddo fwyta beth bynnag oedd ar gael, ac astudio beth bynnag fyddai'n rhoi iddo yn yr arholiad y marc angenrheidiol i beidio â cholli ei ysgoloriaeth...

Roedd e'n arfer cwympo i gysgu â'i ben ar ei lyfrau, a'r rheiny yn fath o glustog iddo, a breuddwydiai am wyliau a fyddai'n para am byth. Roedd gofyn iddo yn ogystal ennill gwobrau, er mwyn cynilo arian i dalu am gofrestru'r flwyddyn nesaf...

Aeth Agustinito yn sâl, ac roedd yn rhaid iddo aros yn ei wely. Roedd gwres mawr arno fe. Fe gafodd ei rieni ofn, ofn y byddai'r salwch yn achosi iddo fod ar ôl gyda'i astudio; efallai y byddai'r salwch yn para fel na fyddai modd iddo fynd i'r arholiad, a bod yn siŵr o'r marc ar ei ddiwedd, ac y byddai talu'r ysgoloriaeth yn cael ei ohirio.

Rhoddodd y meddyg amcan i'r rhieni y byddai'r clefyd yn para'n hir, ac fe ofynnon nhw, druain, iddo mewn gofid:

"Ond fe fydd e'n gallu cymryd ei arholiad ym mis Mehefin?"

"Gadewch yr arholiadau i fod. Yr hyn sy eisiau ar y bachgen yw bwyta digon ac astudio ychydig, a digon o awyr iach."

"Bwyta digon ac astudio ychydig!" dywedodd y tad yn syn. "Ond doctor, mae'n rhaid iddo astudio llawer er mwyn cael bwyta ychydig."

"Edrych mae'r tywydd yn well heddiw, ac fe alli di fynd i'r coleg," meddai ei fam. "Ond i ti wisgo dy got fawr amdanat. A dywed wrth Don Alfonso am dy esgusodi di am fod yn sâl."

Ar ôl dod yn ôl o'r dosbarth fe ddywedodd Agustinito:

"Dywedodd Don Alfonso wrtha i am beidio mynd yn ôl tan fy mod i wedi gwella'n llwyr."

"A beth am *y distinction*, machgen i?"

"Mi enilla i hwnnw."

Ac fe enillodd e hwnnw, a chael gweld y gwyliau, ei unig gyfle i orffwys. Roedd y meddyg wedi dweud 'I'r wlad. I'r wlad.' Ond beth am yr arian? Mae'n amhosib gwneud gwyrthiau gydag ychydig sylltau. A oedd Don Agusta yn mynd i fynd heb ei gwpanaid o goffi bob dydd, yr unig foment pan oedd e'n llwyddo i anghofio ei ofidiau? Gwnaeth ymdrech unwaith neu ddwy i roi'r arfer heibio: ond fe fyddai'r mab, y patrwm o fab, yn dweud wrtho:

"Na, na. Ewch chi i'r caffe, 'nhad. Peidiwch â mynd hebddo o'n achos i. Rydych chi'n gwybod 'mod i'n dod i ben gyda'r peth lleiaf."

Ond aeth e ddim i'r wlad am nad oedd arian i fynd. Aeth yn ôl at ei gwrs addysg, ac at y frwydr galed.

Fe fu'n rhaid iddo fynd yn ôl i'w wely, ac yna un bore, tra roedd e wrthi'n astudio, dyma bwl o beswch, nes bod gwaed dros dudalennau'r llyfr, yn yr union le oedd yn trafod y ddarfodedigaeth.

Fe fu'r bachgen druan yn syllu ar y llyfr, ar y staen coch, a thu hwnt iddo y gwacter, ei lygaid wedi'u hoelio arno, ac oerni anobaith yn gafael yn ei enaid. Fe wnaeth hyn dynnu i'r wyneb y tristwch oesol, y tristwch sy uwchlaw pob dim, y ffieidd-dod cynhenid sy'n cysgu yng ngwaelod pob un ohonon ni, y ceisiwn ni foddi ei sŵn (fel pryf yn twrio) yn nhwrw a berw bywyd.

"Rhaid rhoi'r llyfrau naill ochr ar unwaith," meddai'r meddyg cyn gynted ag y gwelodd e Agustinito. "Ar unwaith!"

"Rhoi'r llyfrau naill ochr!" meddai Don Agustin. Ond ar beth y byddwn ni byw?"

"Ewch chi ati i weithio.,"

"Ond rwy'n chwilio am waith, ac yn methu â'i gael e."

"Wel, os bydd e farw, eich bai chi fydd e."

Ac allan â Don Jose Antonio, dyn garw ei dafod. Ac medde fe wrth ei hunan o dan ei anadl: "Dyma beth yw trosedd! Canibaliaeth yw hyn. Mae'r rhieni yma yn bwyta eu mab."

Ac fe fwyton nhw fe, gyda chymorth y ddarfodedigaeth: fe fwyton nhw fe bob yn dipyn, bob yn ddiferyn, bob yn ronyn.

Ymhen ychydig ddyddiau canodd Agustinito ffarwel am byth, roedd ar gychwyn ar wyliau diderfyn, a'i dystysgrif gradd o dan ei glustog – dyna'i ddymuniad – a llyfr yn ei law. Aeth ar ei wyliau tragwyddol. Ac fe wylodd ei rieni ddagrau chwerw ar ei ôl.

"Ac yntau ar fin dechrau byw! Pan oedd ar fin ein hachub rhag tlodi. A! Agustin, dyna drist yw bywyd."

Dywedodd Don Jose Antonio, y doctor, wrtha i ar ôl adrodd yr hanes, "un drosedd arall, un drosedd arall gan rieni. Rwy wedi laru ar fod yn dyst iddyn nhw. Ac fe ddôn nhw atoch chi gan sôn am hawliau rhieni, a chariad tad a mam.

Celwydd! Celwydd!... Ie, canibaliaeth! Fe fwyton nhw fe, ac fe yfon nhw fe, yn gnawd a gwaed..."

'Yr Ysgoloriaeth', Unamuno y Jugo

Darllen Pellach

'Noson y Fodrwy', *Straeon Bob Lliw,* Eleri Llewelyn Morris
Troi Clust Fyddar, Lleucu Roberts
'Marwolaeth Fechan', *Storiau'r Dydd,* Islwyn Ffowc Elis
Cenhadaeth, Aled Evans
Ochr arall y Geiniog, Gwilym Meredith Jones
Pan oeddwn Fachgen, Mihangel Morgan

GWRTHDARO

Gwrthdaro rhwng dwy genhedlaeth

Doedd hi erioed wedi bod yn agos at ei thad. At ei mam yr âi pan yn blentyn i gael mwythau a charu mawr. Ychydig iawn o gariad allanol a ddangosodd ei thad ati erioed. Hyd yn oed pan oedd hi'n blentyn, ac ar yr adegau prin hynny pan fyddai o gartref, dim ond rhyw sws bach sydyn cyn noswylio fyddai hi'n 'gael.

Trwy gydol ei gyrfa addysgol, doedd hi erioed wedi medru plesio'i thad. Waeth beth a wnâi, pa mor dda bynnag roedd hi, un crintachlyd ei ganmoliaeth fyddai Winstone, a'r cof bach oedd gan Tracey am ei thad pan oedd hi'n iau oedd un o ddyn yn gwylltio a gweiddi os na châi ei ffordd ei hun.

Yn ystod blynyddoedd cynnar ei harddegau closiodd rhyw fymryn at ei mam, ond pellhau fu hanes y berthynas rhyngddi a'i thad. Mi fyddai ar brydiau yn ei herio yn agored, ac roedd hynny wedi arwain fwy nag unwaith at ffraeo a thyndra a thensiwn yn y cartref.

Câi Tracey'r teimlad nad oedd ei thad am iddi dyfu ac, o'r herwydd, roedd yn ei thrin o hyd fel plentyn. Dim ond doethineb ac ymyrraeth Harriet Mason rwystrodd bethau rhag berwi drosodd lawer tro ond, yn ddiweddar, roedd Tracey'n rebelio'n fwy agored. Gan fod ei thad wedi'i gwahardd o'r Leion, ei bwriad oedd mynd yno. Deued a ddelo, doedd o ddim yn mynd i reoli'i bywyd hi eto. Roedd hi'n bwriadu torri'n rhydd a phan ddeuai'r cyfle cynta, roedd yn bwriadu gadael cartref.

Duw yn unig wyddai sut y byddai ei mam wedi iddi adael y nyth. Os oedd hi'n unig pan oedd Tracey gartref, mi fyddai ei hunigrwydd gymaint â hynny'n fwy wedyn. Ond roedd tri mis i fynd tan hynny ac roedd hi'n amlwg heno fod ei mam isho dweud rhywbeth wrthi, a dyna pam y bodlonodd aros. Wrth gario'r llestri i'r cefn a'u gosod yn y sinc, meddyliodd Tracey beth fyddai'r pwnc trafod tybed? Oedd hi wedi clywed ogla sigaréts ar ei dillad? Oedd rhywun wedi dweud iddi fod yn y Leion? O shit! Gobeithio nad oedd hi wedi gweld y paced condoms ym mhoced ei chrys tenis!

"Mae yna lot o saim heno... mi olcha i."

Roedd Harriet Mason yn sgwrio'r platiau yn ddidrugaredd yn y sinc pan agorodd y sgwrs.

"Mi ddeudodd rhywun wrtha i dy fod ti'n canlyn hogyn Bob Jôs Cownsil?"

"Ron Bach! No way!"

"Roedd y person yma'n deud eich bod chi'n mynd i'r Leion hefo'ch gilydd..."

"Mam fach, mae yna griw ohonan ni'n mynd rownd hefo'n gilydd. Tydi'r ffaith 'mod i'n siarad neu'n cael diod hefo Ron Bach ddim yn golygu dim hyd!"

"Wel, mi wyddost ti am ei deulu fo!"

"Taswn i'n ei ffansïo fo, ac isho mynd hefo fo, fysa ddim ots gen i pwy fasa 'i deulu fo!"

"Ond rhaid i ti ddechra meddwl o ddifri am dy ddyfodol, Tracey, nid amsar jolihoetio ydi hi rŵan... Sbia di ar hogyn Ashton, rŵan dyna i chdi hogyn bach neis..."

"Mam! Yn India mae rhieni'n g'neud petha felly, nid yng Nghymru!"

"Be ti'n 'feddwl?"

"Trefnu bywydau eu plant."

"Mae dy dad wedi gweithio'n galed i gyrraedd lle mae o cofia, a chofia di mai er dy fwyn di y buodd pob peth. Rhyw ddiwrnod mi fyddi di'n falch o be 'dan ni wedi'i wneud drostach chdi."

Roedd Tracey isho sgrechian. Roedd hi isho tynnu gwallt ei phen, ac isho rhwygo'i llygaid o'u socedi. Be ar wyneb daear oedd yn bod ar y ddau? Roedden nhw cynddrwg â'i gilydd. Y ddau isho trefnu'i bywyd hi. Pam ddiawl na allen nhw jyst gadael llonydd iddi? Roedd hi'n teimlo fel gafael yn y pentwr llestri glân, a'u taflu'n deilchion ar lawr, ond ymatalodd. Rhoddodd un cynnig arni.

"Mam, fy mywyd i ydi o. Dwi o fewn tri mis i fod yn ddeunaw, ac mi rydw i am wneud be dwi isho'i wneud, nid be dach chi isho i mi wneud, na be mae Dad isho i mi wneud. Gawn ni adael petha yn fan'na plîs?"

Ond doedd Harriet ddim am ildio'r un gronyn.

"Twyt ti ddim yn gwybod y gair sydd yna am hogyn Bob Jôs Cownsil yn y stryd... dim ond y dydd o'r blaen roedd Mrs Richards Pant Coch yn dweud mai fo ddaru falu ffenast car Hefin Prichard Plisman, a'i fod o hefyd yn mynd â genod i ganol Coed Crychlyn."

Doedd yr un ffordd arall o gau ceg ei mam. Gafaelodd Tracey mewn plât, a thaflodd ef ar lawr. Malodd yn deilchion ar deils y gegin gefn. Taflodd y lliain ar ei ôl, trodd ar ei sawdl a martsiodd i'w llofft.

Ymhen ychydig funudau, clywodd Harriet Mason hi'n martsio nôl i lawr y grisiau, yn agor y drws ffrynt ac yn ei glepio nes oedd y gwydrau'n ratlo yn y ffrâm.

Smôc Gron Bach, Eirug Wyn.

Darllen Pellach

Gwrthdaro rhwng Ann a Morgan yn 'Buddugoliaeth Alaw Jim', *Ffair Gaeaf,* Kate Roberts.
Gwrthdaro rhwng Harri a'i dad yn *Cysgod y Cryman,* Islwyn Ffowc Elis.
Gwrthdaro rhwng Eleri a'i thad Crad yn *William Jones,* T Rowland Hughes.
Ceir darlun o'r fam ddifäol yn 'Pe Bai'r Wyddfa i Gyd yn Gaws', *Saith Pechod Marwol* gan Mihangel Morgan.

Dewis yn arwain at wrthdaro

Ceisiodd Edward Ifans beidio ag edrych ar ei hwyneb gwyn, di-waed nac ar ei dwylo esgyrnog nac i'w llygaid mawr gloyw. Cofiai'r amser pan soniai pawb am Geridwen, a oedd yr un oed â Megan, fel gwniadwraig hynod ddeheuig ac fel un o enethod prydferthaf yr ardal. Rhwng cyflog ei thad yn y chwarel a'r sylltau a enillai hi, deuai arian da i'r tŷ bob wythnos, ac nid oedd teulu hapusach yn Llechfaen na John a'i wraig a'i ferch. Ond ychydig wythnosau cyn i'r streic ddechrau, collodd Ceridwen ei mam ar ôl misoedd o waeledd pryderus a chostus, ac yn fuan wedyn ymunodd ei chariad, llanc go ddi-ddal a direol, â'r Gwirfoddolwyr Cymreig i ymladd yn Neau'r Affrig. Dywedai rhai iddo godi i fod yn swyddog pwysig yn y Fyddin, dywedai eraill iddo briodi gwraig gyfoethog yng Nhape Town, ac eraill drachefn iddo ddarganfod gwythïen aur yn y Transvaal, ond ni wyddai neb ddim hyd sicrwydd, dim ond na ddychwelodd ef na'r arian a fenthyciasai i Lechfaen. Ciliodd y gwrid o ruddiau Ceridwen, a blinai'n gynt a chynt wrth ei gwaith yn y parlwr. Hynny o waith a gâi, oherwydd âi hwnnw'n llai bob wythnos wedi i'r streic ddechrau, a chyn hir darfu'n gyfan gwbl bron. Yn ei gwely, a rhywun yn gweini arni, y dylai'r ferch hon fod ers misoedd lawer, meddyliodd ei hewythr yn awr, nid yn ymdrechu codi o ddydd i ddydd ac yn ystwyrian yn eiddil a methedig o gwmpas y tŷ. Un arall o'r lliaws a aberthid ar allor y streic.

"Mi a' i i'r cwt at dy dad am funud," meddai, gan godi.

"O'r gora', F'ewyrth. Mi gymwch ofal be' ddeudwch chi wrtho fo, on' wnewch?"

"Gwnaf, debyg iawn, 'ngeneth i, gwnaf. Rhaid iti ddim pryderu am hynny. Ond mae'n well i'th dad a finna' gael dallt ein gilydd, ond ydi? Yn lle bod y peth yn gysgod rhyngom ni, ynte?"

Aeth allan, ac wedi gwyro'i ffordd i mewn i'r cwt, eisteddodd ar flocyn, yn wynebu'i frawd. Rhoesai hwnnw'i lif heibio ac aethai ati i hollti dau neu dri o flociau yn goed tân.

"Wel, Edwart?"

"Wel, John?"

"Hen genna' cnotiog, fachgan, go danna fo. Does dim hollti ar y cradur."

"Rhaid iti gymryd cŷn a mwrthwl ato fo, John."

"Rhaid, fachgan, ne' mi dorra' i'r fwyall 'ma."

Cododd i estyn cynion a morthwyl oddi ar silff gerllaw. Griddfanodd mewn poen wrth eistedd drachefn.

"Yr hen ben-glin 'ma, go danna fo. Mae o'n brathu'n ffyrnig heddiw. Yr eira 'ma, mae'n debyg."

Buan, a chwarelwr â'i gŷn a'i forthwyl yn ei drin, yr holltodd y blocyn. Âi John ati â'i holl egni a pharablai'n nerfus bob ennyd – am yr eira, am ei ben-glin, am y blociau, am wlybaniaeth yng nghongl y cwt, am bopeth ond y chwarel. Dyn mawr afrosgo oedd John Ifans, a'i freichiau hirion, llipa, fel pe wedi'u hongian wrth ei ysgwyddau yn hytrach na'u gwreiddio yno. Pan gerddai, taflai'i liniau i fyny a syrthiai'i draed yn fflat a thrwm ar y ddaear, a gwthiai bron bob amser fodiau'i ddwylo i dyllau breichiau ei wasgod. Ond yr oedd tebygrwydd yn wynebau'r ddau frawd – yr un talcen uchel, urddasol, yr un llygaid llwyd, breuddwydiol, yr un trwyn Rhufeinig i'r ddau. Yn y genau yr oedd y gwahaniaeth mawr, gwefus isaf Edward yn dynn a chadarn ac un ei frawd yn gwyro'n guchiog bob amser bron. Nid cuchio a wnâi John ei hun er hynny, er gwaethaf ei wefus yr oedd yn ddyn llawn hiwmor a pharod iawn ei gymwynas, a bu'r ddau frawd yn gyfeillion calon erioed.

"Wel, John?" Yr oedd y mân destunau wedi'u dihysbyddu a'r blocyn olaf wedi'i hollti.

"Wel, Edwart?" Syllodd John yn eofn a sicr ar ei frawd, heb ddim euogrwydd yn ei edrychiad.

"Galw yr o'n i i ddweud... i ddweud dy fod di'n gwneud y peth iawn, John."

Nid oedd yr edrychiad mor eofn a sicr yn awr. Cronnodd dagrau yn y llygaid, a chododd John Ifans yn frysiog i daro'r cynion a'r morthwyl yn ôl ar y silff. Oedodd yno, a'i gefn at ei frawd, gan gymryd arno drefnu'r arfau a oedd ar y silff. Cododd Edward yntau, gan feddwl cychwyn ymaith.

"Diolch iti, 'r hen Ed, diolch o galon. Rydw' i wedi ofni'r munud yma, fachgan, wedi methu â chysgu'r nos wrth feddwl amdano fo. 'Be' ddeudith Edwart, a 'fynta'n Islywydd Pwyllgor? – dyna oeddwn i'n ofyn i mi fy hun o hyd o hyd. Ta, 'nen' Tad, fachgan, byth beunydd. A phan glywis i am... am Gwyn bach, mi 'steddais i lawr ar unwaith i sgwennu i'r chwaral i dynnu f'enw'n ôl. Ond doedd Ceridwen druan ddim hannar da y pnawn hwnnw, a phan edrychis i ar 'i hwynab hi a'i gweld hi'n trïo ymlusgo hyd y tŷ ma. 'Wyt ti... wyt ti o ddifri' wrth ddeud nad wyt ti ddim yn gweld bai arna' i Edwart?"

"Ydw, Johnnie, ydw."

"Dy frawd dy hun yn troi'n Fradwr."

"Nid troi'n Fradwr ydi hyn, John, ond aberthu..."

"Aberthu egwyddor."

"Er mwyn arall. Mae'n bur debyg y gwnawn inna'n hollol yr un fath 'tai... 'tai Martha ddim yn dda ac yn gorfod cael y Doctor. Mae arna i ofn y bydd amryw o'r dynion yn gorfod ildio cyn hir."

"Be' arall fedra' i wneud, Edwart? Yr ydw' i'n rhy hen i fentro i'r Sowth. Mi fûm i'n meddwl am y gwaith dŵr 'na yn Rhaeadr, ond bychan ydi'r cyflog yn y fan honno ac mae o'n lle drwg gynddeiriog am gryd cymala', meddan nhw. Dim ond ychydig wythnosa arhosodd Dafydd, brawd Huw 'Sgotwr, yno, a rŵan mae o bron â methu mynd i fyny ac i lawr y grisia nos a bora... Rydan ni'n cael ein cornelu fel llygod, Edwart."

"Pryd... pryd y gwnest ti dy feddwl i fyny, John?"

"'Wn i ddim yn iawn. Pan oedd Martha yn y Sowth y dechreuis i feddwl o ddifri am y peth. Roedd hi wedi bod mor ffeind, fachgan, yn galw yma bob bora i wneud y gwlâu a llnau a gofalu am Geridwen. Roedd hi'n chwith ofnadwy ar 'i hôl hi. Ond mi ddysgis i lawar yr wsnosa hynny, ac ro'n i cystal ag unrhyw ddynas yn y tŷ, medda Ceridwen. Roeddan ni'n dau yn trïo gwneud hwyl o'r peth, ond roedd fy nghalon i'n gwaedu wrth weld yr hogan druan yn gwneud llai a llai bob dydd. Yn trio 'i gora' glas, Ed, ond yn methu." Cronnodd y dagrau yn ei lygaid eto ac aethai 'i lais yn sibrwd bloesg. "Wedyn, y diwrnod yr est ti â Gwyn i Lerpwl, mi alwodd Doctor Robaits yma. Doeddwn i ddim wedi gofyn iddo fo ddŵad – fedrwn i ddim fforddio talu iddo – ond mi ddaeth – ar *unofficial visit*, chwedl ynta. Hen foi iawn ydi'r Doctor, fachgan. Ia, 'nen' Tad, un o eneidia prin yr hen fyd 'ma."

"Ia." Nodiodd Edward Ifans, a'i feddwl yntau'n mynd yn ôl i'r bore Iau hwnnw. "Be' ddeudodd o, John?"

"Mi ges row gynddeiriog gynno fo, yn Gymraeg ac yn Saesneg. *Anemia*, gwendid mawr, medda' fo. Pam na faswn i wedi'i alw fo i mewn ers misoedd er mwyn iddi hi gael y peth yma a'r peth arall? 'Chweugian yr wsnos o'r Undab ydi'r cwbwl sy'n dŵad i'r tŷ 'ma, Doctor,' medda fi wrtho fo. 'Dyna pam na wnes i ddim gyrru amdanoch chi.' Mi fûm i bron â sgwennu i'r chwaral y noson honno. Ond wnes i ddim, ac mi fu'r peth fel hunlla ar fy meddwl i am ddyddia. Y dydd Mawrth wedyn y sgwennis i. Yr ydw i i ddechra ddydd Llun. Mi fydd hi'n rhyfadd gynddeiriog yno hebddat ti, Edwart. Rhaid i mi gadw fy nhempar hefo pwy bynnag y bydda i'n gweithio hefo fo, on' rhaid?"

"Rhaid. A... Cheridwen?"

"Mi fedra i godi at fy ngwaith yn iawn yn y bora ac mi geiff hi aros yn 'i gwely nes daw'r hen Fargiad Williams yma i gynna mymryn o dân a gwneud panad iddi. Mi fydd Margiad druan yn falch o'r ychydig syllta ro i iddi bob wsnos. Mae petha wedi mynd yn fain ofnadwy yno, Edwart. Tri a chwech yr wsnos mae hi'n gael o'r Gronfa, ac mae'i rhent hi'n ddeunaw. Dim ond cadw'i hun mae Em yn medru'i wneud tua Lerpwl 'na, a dydi Harri druan yn cael ond y nesa' peth i ddim o *rags* ers tro byd. Pwy fasa'n meddwl y dôi petha' i hyn arnon ni, Edwart?...

Chwalfa, T Rowland Hughes

Darllen Pellach

Mae'r dewis yn aml yn ddewis rhwng ffyddondeb i deulu a ffyddlondeb i egwyddor megis yn y detholiad uchod o *Chwalfa* gan T Rowland Hughes. Yn yr un modd mae Harri yn gorfod dewis rhwng ffyddlondeb teuluol ac egwyddor yn *Cysgod y Cryman* gan Islwyn Ffowc Elis. Mae Harri yn penderfynu dewis dilyn ei egwyddorion ac yn troi'n gomiwnydd ac yn gorfod dioddef ei ddiarddel gan ei dad. Mae'r dewisiadau a wnawn mewn bywyd yn hollbwysig.

Mae Saunders Lewis yn ei ddramâu yn aml yn gosod dewisiadau i'r prif gymeriadau ac mae'r holl ddrama yn troi o gwmpas eu dewisiadau – megis yn *Esther, Siwan* a *Gymerwch Chi Sigarét*? Felly, mewn ffuglen, mae dewisiadau yn rhan bwysig o ddatblygiad plot.

Dyma enghreifftiau eraill o ddewisiadau pwysig:

Cyn Daw'r Gaeaf, Meg Elis
Troi Clust Fyddar, Lleucu Roberts
'Yr Anrheg Olaf', *Y Stori Fer: Seren Wib,* Irma Chilton
Yn aml mae dewis peidio â gweithredu yn gallu creu trasiedi megis yn y stori 'Pentre Fy Mam', *Storïau Tramor,* Marga Minco.

TAITH BYWYD

Gwallgofrwydd Bywyd

Yn nofel Caradog Prichard **Un Nos Ola Leuad** *mae adroddwr dienw ar daith i Pen Llyn Du. Caradog Prichard ei hun yw'r adroddwr. Rhoddodd Caradog ei hun yn y nofel ar ffurf symbolaidd yn y darlun o ddyn gwallgof yn cerdded y ffordd yng ngolau'r lleuad yn gweiddi 'Mam'.*

Wedyn dyma ni'n cerddad i fyny Lôn Bost am dipyn bach heb neb yn deud dim byd, dim ond Huw yn y canol yn chwibanu Ar Hyd y Nos yn ddistaw bach. Edrach ar y lleuad oeddwn i nes inni ddŵad at y tro yng ngwaelod Allt Braich. Arglwydd, gwatsiwch hogia, medda Moi yn sydyn, a sefyll yn stond a Huw a finna'n gneud yr un fath, wedi dychryn. Dowch i ochor y wal i guddiad, medda fo wedyn a mynd ar ei gwrcwd i ochor y wal, a ninna'n mynd ar ei ôl o run fath. Be sy, Moi? meddwn i'n ddistaw bach. Dowch tu ôl i'r bonc yma, brysiwch y ffyliaid gwirion, a gorweddwch ar eich hyd a gwrandwch. Dyna lle'r oeddan ni ill tri'n gorfadd tu ôl i bonc rownd y tro yng ngwaelod Allt Braich pan glywsom ni rywbath yn neidio dros ben y wal i Lôn Bost ar ganol Allt Braich a thwrw rhywun yn cerddad yn siarp ar ganol y lôn, efo sgidiau hoelion mawr a'i glem o neu ei bedol o'n rhydd ar un droed. Roedd o'n dŵad yn nes ac yn nes, a finna'n crynu fel deilan a'r tri ohonom ni'n aros iddo fo ddŵad rownd y tro. Be welsom ni'n dŵad rownd y tro ond Em Brawd Now Bach Glo. Roedd o ar ganol Lôn Bost, yn cerddad yn siarp efo cama mân, fel tasa fo'n gwisgo sgert yn dynn am ei bennaglinia, a'i ên o'n sticio allan a'i lygaid o'n rhythu i fyny Lôn Bost. Roedd o wedi stwffio'i ddwylo i fyny llewys ei gôt run fath â tasa fo'n hen ferch yn gwisgo myff, Roedd gwên ryfadd ar ei wyneb o, ac roedd o'n tynnu ei dafod allan, a golwg run fath â ci wedi bod yn lladd defaid arno fo. Mi fu dest i mi â pesychu wrth dreio dal fy ngwynt pan oedd o'n pasio.

Gwell inni chwibanu dair gwaith a rhedag adra, medda Huw ar ôl i Em fynd o'r golwg i fyny Lôn Bost a ninna'n eistadd ar y bonc.

Na, gwell peidio, medda Moi. Mi fydd criw Tad Wil Bach Plisman yn cyrraedd Lôn Bost dros ben Braich i fyny fan acw yn y munud. Maen nhw siŵr o'i ddal o.

Dim peryg yn y byd a fonta'n cerddad mor siarp.

Mi fydd o'n blino, siŵr iawn.

Fi ddwedodd: Gwell inni fynd yn ôl rŵan, a Huw a Moi yn deud Olreita. Dyma ni'n ei chychwyn hi heb ddeud dim byd arall, yn ôl i fyny Allt Braich ac i lawr Lôn Bost at Bont Stabla.

Mae Yncl Now efo criw Tad Wil Bach Plisman, medda Moi. Mi ddwedith Yncl Now'r hanas i gyd wrtha fi a Mam ar ôl dŵad adra. Mi ddweda inna'r hanas i gyd wrthach chitha ar y ffordd i Rysgol bora fory.

Bora heddiw, meddwn i.

O ia, siŵr iawn, bora heddiw, medda Moi, a chwerthin wrth droi i fynd dros Bont Stabla. Nos dawch, lats.

Bora da, medda Huw a finna.

O ia, siŵr iawn, bora da.

Falla mai criw Elis Ifas fydd yn ei ddal o, meddwn i wrth Huw pan oeddan ni'n cyrraedd Rheinws. Fi gaiff yr hanas wedyn, o Tŷ Nesa, i ddeud wrthach chi ar y ffordd i Rysgol, os dalia i Elis Ifas Tŷ Nesa cyn iddo fo fynd i Chwaral.

Ond criw Tad Wil Bach Plisman ddaru ddal Em i fyny Lôn Bost wrth Pen

Llyn Du. Gan Moi y cawsom ni'r hanas amdano fo ar ei linia ar ochor y lôn, wedi tynnu'i sgidia a'i draed o'n swigod i gyd ac ynta'n crïo a gweiddi am ei Fam. Gneud stretsiar ddaru nhw efo dau bolyn a thopcot Huws Ciwrat, a'i gario fo'r holl ffordd i lawr Lôn Bost a mynd â fo i'r Rheinws.

Un Nos Ola Leuad, Caradog Prichard

Darllen Pellach

Hen Lwybr, *Hen Lwybr a Storïau Eraill,* Mihangel Morgan. Defnyddiodd y nofelydd hen wraig ar daith bws fel symbol o berson ar daith unig drwy fywyd – taith arwrol yw hi er gwaethaf y diffyg anturiaethau.

Yn Sionyn a'r Ddraig, *Cathod a Chŵn,* mae Mihangel Morgan wedi defnyddio arddull chwedlonol a thaith yr arwr yn symbolaidd am fachgen yn darganfod ei fod yn hoyw.

'Y Daith', *Prynu Dol,* Kate Roberts
Tywyll Heno, Kate Roberts
'Te yn y Grug', *Te yn y Grug,* Kate Roberts
Si Hei Lwli, Angharad Tomos

FFAWD A THYNGED

Yn y stori 'Y Goeden Eirin', mae John Gwilym Jones yn myfyrio pam mae pob un yn wahanol i'w gilydd ac am y modd y mae ein natur sylfaenol a digwyddiadau bywyd yn ein mowldio. Efeilliaid sydd yma – un wedi dewis mynd i ryfel a'r llall wedi gwrthod mynd ac yn gweithio ar y tir.

Mae Wil, fy mrawd, a minnau'n ddau efaill. Yr un amser yn union y'n cenhedlwyd ni, ac yn yr un lle a chan yr un cariad a'r un nwyd. Yr un bwyd a fwytâi mam i'n cryfhau ni'n dau, a'r un boen yn union a deimlai wrth ein cario ni; yr un amser yn union y symudasom ni'n dau, a'r un adeg yn union y'n ganed ni. Yr un dwylo a'n derbyniodd ni, ac yn yr un dŵr y'n hymolchwyd ni. Yr un dychryn yn union a roesom i Mam, a'r un balchder i Nhad. Yn yr un crud y rhoed ni, ac wrth yr un bronnau y sugnem. Yr un llaw a'n siglai ni, a phan ddiddyfnwyd ni, o'r un bowlen y bwytaem. Dilynasom ein gilydd ar hyd y lloriau fel cysgod y naill a'r llall, a'r un un yn union a'n dysgodd ni i ddweud Mam a Nhad a Sionyn a Wil a Taid a Nain a bara llefrith a thynnu trowsus a rhed fel diawl rŵan, ac 'a' am afal a 'b' am baban, a phwy oedd y gŵr wrth fodd calon Duw, a twaiswanatw, a gorffwys don dylifa'n llonydd paid â digio wrth y creigydd, ac yfwch bawb o hwn canys hwn yw fy ngwaed o'r testament newydd.

Ond heddiw mae Wil, fy mrawd, yn yr Aifft, a minnau'n gweithio ar y tir ym Maes Mawr. Am flynyddoedd wyddwn i ddim fod yna wahaniaeth rhyngom ni. Wil oedd Sionyn a Sionyn oedd Wil...

Y goeden eirin yn yr ardd a gychwynnodd y gwahanu...

Ie, Duw a blannodd y goeden eirin rhwng y tŷ bach a'r wal yn ein gardd ni. "Rydw i'n plannu hon," medda fo, "i wneud Wil yn Wil a Sionyn yn Sionyn."

Duw sy'n gyfrifol am ddyn hefyd, wedi anadlu yn ei ffroenau ei anadl einioes, wedi ei wneud ar ei lun a'i ddelw ei hun. "Dyna ti rŵan", medda fo, "gwna fel y mynni di, dy fusnes di ydi hynny. Fe gei di fod yn Nebuchodonosor, os leici di, yn ddigon gwirion i fwyta gwair, neu fe gei fod yn Ddaniel yn gweddïo â'th wyneb tuag at Jerwsalem...

Heddiw mae Wil yn yr Aifft am fod arno fo ofn marw, a minnau'n trin y tir ym Maes Mawr am fy mod i'n gwybod y bydd Wil fyw fyth.

A dyna ni'n ôl at y goeden eirin. Mae hi mor anochel â geni a marw. A Dydd y Farn a ddywedai John Huws Pant, a hwyrach ei fod o yn llygad ei le. Mae hi yno o hyd rhwng y tŷ bach a'r wal, hynny sydd ar ôl ohoni erbyn hyn a mwy o gen a locsyn gwyrdd. Rhyw dro fe ddringodd Wil a fi a fi a Wil i'w phen. Eisteddais i ar frigyn wedi crino fel braich dde nain a syrthio a thorri fy nghoes. Bûm yn y tŷ am wythnosau heb ddim i'w wneud ond darllen a darllen a darllen. Gwnaeth Wil gyfeillion â Lias a Harri bach y *Garage*, a dŵad adra bob nos yn sôn am magneto a dynamo a clutch a newid gêr a Bleriot a Jerry M. Dydi o ddim blewyn o wahaniaeth gen i beth yw *magneto* na *dynamo*, a thros ei grogi yn unig y bydd Wil yn darllen.

'Y Goeden Eirin', *Y Goeden Eirin*, John Gwilym Jones

Darllen Pellach

Roedd Tynged yn thema bwysig yn yr hen ddramâu Groegaidd.

Gwelir y syniad o dynged anffodus yn y stori 'Y Dieithryn', *Genod Neis,* Eleri Llewelyn Morris, sef digwyddiad sy'n cael effaith niweidiol ar y cymeriad.

Storïau alegorïol am felltith neu anffawd mewn bywyd yw:
'Y Ddafad', *Marwydos,* Islwyn Ffowc Elis.

'Ci Du', *Cathod a Chŵn*, Mihangel Morgan.
Yn y nofel *Martha Jac a Sianco* mae ffawd y teulu wedi ei glymu wrth y fferm o ganlyniad i ewyllys y fam, ac er ei bod wedi ei chladdu, mae hi'n holl bresennol yn y nofel.
Tynged Anochel, Sartre, cyf. Berwyn Prys Jones
Ffawd Cywilydd a Chelwyddau, Llwyd Owen (y cytundeb â'r diafol)

DIODDEFAINT DYN

Dod i wybod ystyr dioddefaint

Yn ei stori 'Ward 6' mae Tsiecoff yn darlunio meddyg yng ngofal ysbyty yn treulio'i amser yn darllen ac yn athronyddu ac yn esgeuluso ei gleifion – ond yna un diwrnod mae ef ei hun yn un o'r cleifion, yn y ward i'r rhai gwallgof yn yr ysbyty hwnnw, ac yn dod i wybod ystyr dioddefaint. Mae neges glir yn y stori ei bod yn ddyletswydd arnon ni i geisio lleihau'r dioddefaint yn y byd.

O'r diwedd, sylweddolodd fod arno eisiau diod o gwrw a sigarét.

"Rwy'n mynd allan, gyfaill," meddai, "Mi ddweda i wrthyn nhw i ddod â thân i ni... Fedra'i ddim dioddef hyn... Dydw i ddim mewn cyflwr..."

Aeth y Dr Ragin at y drws a'i agor, ond cododd Nicita ar unwaith a rhwystro'i ffordd.

"I ble rydych chi'n mynd? Chewch chi ddim," meddai, "mae'n amser i chi fynd i'ch gwely."

"Ond, dim ond eisiau mynd allan i'r ardd am funud ydw i," atebodd y Dr Ragin wedi'i synnu.

"Chewch chi ddim. Does dim caniatâd i gleifion fynd allan. Rydych chi'n gwybod hynny'n iawn."

Caeodd Nicita y drws yn glep a phwyso a'i gefn yn ei erbyn.

"Ond fydd dim ots gyda neb os a i allan, na fydd?" gofynnodd y Dr Ragin gan godi'i ysgwyddau. "Dydw i ddim yn deall, Nicita, rhaid i mi fynd allan," meddai a'i lais yn crynu. "Mae'n rhaid i mi!"

"Peidiwch chi â chreu helynt yma, dydy o ddim yn iawn," meddai Nicita a cherydd yn ei lais.

"Be' ddiawl sy'n digwydd?" gwaeddodd Gromof yn sydyn gan neidio ar ei draed. "Pa hawl sy gyda fe i beidio â'ch gadael chi allan? Sut fedran nhw'ch cadw chi yma? Mae'r gyfraith yn glir: fedrwch chi ddim amddifadu neb o'i ryddid heb achos llys! Trais! Gormes!"

"Wrth gwrs ei fod yn ormes," dywedodd y Dr Ragun wedi ei galonogi gan waedd Gromof. "Mae'n rhaid i mi fynd allan. Does ganddo ddim hawl! Gad i mi ddod. Rwy'n dweud wrthot ti!"

"Wyt ti'n clywed, y bwch gafr gwirion?" gwaeddodd Gromof gan guro'r drws â'i ddyrnau. "Agor y drws, neu mi dorra i e lawr! Y bastard!"

"Agor y drws," gwaeddodd y Dr Ragin a'i holl gorff yn crynu, "rwy'n gorchymyn i ti."

"Ydych chi wir?" atebodd Nicita o'r tu ôl i'r drws. "Gorchmynnwch, 'te!"

"O leiaf cer i nôl Chobotof. Dwed wrtho fe fy mod i am ei weld e am funud!"

"Mae'n dod yma yfory beth bynnag."

"Wnan nhw fyth ein gadael ni allan!" dywedai Gromof yn y cyfamser, "Maen nhw'n gadael i ni bydru yma! O Iesu, onid oes 'na uffern mewn gwirionedd? Oes 'na faddeuant i'r dihirod hyn? Ble mae cyfiawnder? Agor y drws, y diawl, Rwy'n tagu!" gwaeddodd mewn llais cryglyd gan daflu ei hun yn erbyn y drws. Mi fala i fy mhen, y llofruddwyr!"

Agorodd Nicita y drws yn sydyn. Gwthiodd y Dr Ragin o'r ffordd gyda'i ddwylo a'i ben-glin, chwifiodd ei fraich a dyrnodio'r meddyg yn ei wyneb. Teimlodd y Dr Ragin fel petai ton fawr hallt wedi golchi drosto a'i ddwyn i'r gwely; yn wir, roedd blas hallt yn ei geg: mae'n debyg bod gwaed yn llifo o'i ddannedd. Chwifiai'i freichiau, fel petai'n nofio, ac wrth afael ar wely rhywun, teimlodd ddyrnodiau Nicita yn taro'i gefn ddwywaith.

Gwaeddai Gromof yn uchel. Mae'n rhaid ei fod yntau'n cael cweir.

Tawelodd popeth wedyn. Llifai golau melyn y lleuad trwy farrau'r ffenestr a thaflu cysgod fel rhwyd ar y llawr. Roedd yn arswydus. Gorweddai'r Dr Ragin gan ddal ei anadl; disgwyliai mewn arswyd am fwy o ergydion. Roedd yn union fel petai rhywun wedi ei drywanu â chryman, ac yna wedi troi'r cryman nifer o weithiau trwy'i frest a'i berfeddion. Brathodd y gobennydd mewn poen, a rhygnodd ei ddannedd, ac yn sydyn, ynghanol yr anhrefn hyn, fflachiodd syniad annioddefol o ddychrynllyd trwy ei feddwl: dyma'r union boen y bu raid i'r bobl hyn a edrychai nawr fel cysgodion tywyll yng ngolau'r lleuad ei ddioddef o ddydd i ddydd am flynyddoedd. Sut ar y ddaear, mewn mwy nag ugain mlynedd, oedd e heb ddod i wybod a heb eisiau gwybod am hyn? Ni wyddai, ni ddeallai am y boen, felly nid oedd ef yn euog, ond gyrrodd cydwybod mor daeogaidd a garw ag un Nicita ias drwyddo o'i gorun i'w sawdl. Neidiodd ar ei draed, teimlai awydd gweiddi nerth ei ben a rhedeg allan i ladd Nicita, Chobotof, y goruchwyliwr, a'r cynorthwywr, ac yna lladd ei hunan; ond ni ddeuai'r un sŵn o'i frest, ac roedd ei goesau yn gwrthod ufuddhau iddo.

'Ward 6', Tsiecoff

Darllen Pellach

Does dim amheuaeth fod dioddefaint dyn yn un o brif themâu pob llenyddiaeth megis y darn uchod allan o stori fer 'Ward 6', Tsiecoff.

Weithiau bydd llenor yn protestio yn erbyn y Duw sy'n caniatáu'r fath ddioddefaint megis Eleri Llewelyn Morris yn 'Duw Cariad Yw', *Genod Neis*.

Erlid y Rhai Gwahanol

'I'r Gadair Goch â hi!'

'I'r afon â'r witsh!'

'Crynwr ydy hi! Mi gwelais hi yn y llys.'

Roedd hyn yn ddigon o brawf. Ond beth oedd angen prawf? Roedd Shadrach yn gwnstabl ac felly byddai tipyn o hwyl yn ddigon saff. Os nad oedd yr eneth yn witsh roedd hi'n Grynwr cableddus ac yn haeddu ei chosbi. Os oedd hi'n witsh, rhaid oedd gofalu am ddiogelwch eu plant a'u gwŷr a'u gwartheg.

Roedd yr wynebau gwawdlyd yn awr yn bwrw i lawr arni, yn ei hamgylchynu, yn tynnu ei chap oddi am ei phen ac yn ei daflyd i'r awyr. Teimlai fysedd poeth yn crafu'i gwddw ac yn rhwygo'i gwisg lwyd yn ddarnau.

Cododd ei phen wrth glywed yr enw 'Crynwr!' Yn sydyn ciliodd ei hofnau. Roedd rhywun wrth ei hochr yn gwasgu'i llaw ac yn ei chynnal. Trodd gyda dagrau o ryddhad. "Nhad!'

Ond doedd yna yr un wyneb ffeind cyfarwydd yno. Dim ond crechwenau a lleisiau gwawdlyd yn gweiddi 'Hw, 'mlaen! How! How!'

Syrthiodd y ffyn ar ei chefn noeth, a gwthiwyd hi ymlaen i waelod y Bont Fawr. Roedd cynyrfusrwydd disgwylgar y dorf i'w deimlo'n amlwg. Fuodd 'na neb yn y Gadair Goch ers amser trochi Betsan Prys, ac roedd si ar led fod y gyfraith yn bwriadu rhoi terfyn ar yr hen arferiad. Cyn bo hir fyddai dim hwyl i'w gael wrth weinyddu cyfiawnder, a dyna gyfraith gwlad yn cymell pob witsh i gael tragwyddol heol i reibio fel y mynnai. Wel, doedd y peth ddim yn gyfraith eto, ac os oedden nhw'n cael gwared â witsh y tro hwn y gwyddid ei bod hi'n Grynwr trwynsur, cableddus, gorau oll.

Daeth rhywrai â'r Gadair Goch ymlaen, hen declyn haearn wedi rhydu o ganlyniad i aml drochiad yn afon Wnion. Gwthiwyd Dorcas iddi, a gollyngwyd y trosol i'w le. Cydiwyd yn y gadair, un bob ochr, gan ddau ddyn sef Shadrach a rhyw ddyn arall a chanddo goesau digon hir i sefyll yn y dŵr dwfn heb ei drochi. Aeth y waedd i fyny:

'Un... dau... tri...'

Chlywodd hi mo'r gweiddi. Roedd hi'n hedfan drwy'r awyr a'i thu mewn yn codi yn ei herbyn. Yna cwffio am ei gwynt a'r dŵr yn canu yn ei chlustiau fel rhaeadr, yn llenwi ei llygaid a'i cheg.

'I fyny â hi, hogia. Rŵan 'ta! Unwaith eto! Un... dau... tri...'

Erbyn y trydydd trochiad roedd Dorcas wedi colli pob ymwybyddiaeth.

Y Stafell Ddirgel, Marion Eames

Darllen Pellach

Pan Oeddwn Fachgen, Mihangel Morgan
I Ble'r Aeth Haul y Bore, Eirug Wyn
I Fyd Sy' Well, Siân Eirian Rees Davies

Codi uwchlaw amgylchiadau

Aethom yn ein blaenau ar hyd y llwybr ac arhosodd Bigw i gael ei gwynt ati. Dydw i ddim yn cofio'r un daith mor hir â honno i lawr llwybr y fynwent. Tua'r trydydd tro i Bigw aros, caeodd ei llygaid a phlygu ei phen. Da chi, peidiwch â llewygu, Bigw. Daeth rhyw arswyd drosof wrth feddwl ei bod ar fin cael trawiad a sylweddoli mai dim ond y fi oedd wrth law. Melltithiais fy hun am wneud rhywbeth mor wirion, ond doedd dim oll y medrwn i ei wneud, dim ond gofyn, 'Ydach chi'n iawn, Bigw?' drosodd a throsodd nes y clywodd hi fi.

Doedd dim byd mawr yn bod, dim ond ei bod hi'n andros o boeth ac roedd yn rhaid i Bigw gael seibiant bob rhyw ddeg cam. Dylai hi fod wedi cael cadair i eistedd arni, ond tase gen i gadair efo mi yn ogystal â'r blodau, fydde gen i'r un llaw i helpu Bigw. Mi ddylen nhw gael cadeiriau wrth law mewn mynwent beth bynnag, maen nhw'n gwybod mai hen bobl yw eu cwsmeriaid gorau.

Dyma gyrraedd y groesffordd yn llwybr y fynwent a sylweddolais mai dim ond tipyn dros hanner ffordd oedden ni. Wyddwn i ddim yn hollol ble roedd y bedd ychwaith. Wn i ddim sawl gwaith y dywedais wrthyf fy hun 'mod i'n gwneud peth gwirion eithriadol ond doedd dim troi'n ôl bellach. Doedd Bigw ddim yn dweud dim byd, roedd hi'n canolbwyntio ei holl egni ar symud ei choesau i gerdded...

Arhoswn yn ddistaw uwchben y bedd... Rydym yn chwarae ag atgofion, yn eu cynnau a'u cyffwrdd, eu tylino a'u taflu, eu chwalu a'u chwythu.

Wn i ddim am ba hyd i aros yma. Ymhen tipyn, mae Bigw yn edrych arnaf, a gan godi ei haeliau, mae'n arwyddo ei bod yn amser inni fynd. Rydym yn dechrau ar y daith bell, bell yn ôl i'r car.

Mae'r haul wedi gostwng dipyn erbyn hyn, y gwres yn llai llethol, ac mae'n braf teimlo'r awel iach wedi bod yn y car gyhyd. Gam wrth gam, yn araf, araf, awn yn ein blaenau. Rwyf yn ansicr fy ngherddediad, a gafaelaf yn Bigw. Mwya sydyn, dwi'n teimlo cadernid. Mor gryf yw hi! Mor ddewr! Mae ei chamau yn sicr ac yn benderfynol. Sylwaf mai Bigw sy'n fawr bellach a minnau'n ddim wrth ei hymyl. Bigw sy'n gryf ac yn eofn a minnau'n blentyn ofnus. Rhyfeddaf at ei hysbryd sydd wedi goroesi'r blynyddoedd, drwy ryfeloedd a heddwch, galar a llawenydd, trychinebau a buddugoliaethau, gorthrymder a gorfoledd. Teimlaf mor ddychrynllyd o annigonol wrth ei hymyl. Dilynaf hi rhwng y beddau fel cwch sigledig y tu ôl i long fawr. Fe welodd hon y cyfan, a chadwodd ei phen uwchlaw'r dyfroedd. O, am gael gwytnwch ei chymeriad, a'i hysbryd gwâr!

Dos, Bigw, dos. Dyfalbarha heb ddiffygio. Bydd yn wrol, paid â llithro. Paid aros amdanaf, paid edrych yn ôl. Yn hytrach, rhed yr yrfa, dal ati, ac mi ddoi di i ben y daith.

Si Hei Lwli, Angharad Tomos

Darllen Pellach

O! tyn y gorchudd, Angharad Price

Tlodi/Diweithdra

Yn 'Buddugoliaeth Alaw Jim' gan Kate Roberts, mae Morgan yn dychwelyd adre ar ôl i'w filgi ennill ei ras. Roedd ei wraig wedi bwriadu mynd allan i brynu het newydd cyn i gymdoges alw a dweud wrthi:

"Dyna neis ych bod chi'n gallu ffordo mynd i siop Mrs. Griffith. Ond mae'n siŵr 'ych bod chi'n gwneud yn dda ar y ci 'nawr ar ôl gadel y ceffyle."

Ac i ffwrdd â hi gyda'r ffrimpan a'r afu...

...Rwy'n 'mofyn afu 'Mam."

Cynyddodd ei llid yn fwy yn erbyn ei gŵr wedi clywed y gri yma. Mi fuasai'n llawer gwell i Morgan roi'r arian a wariai ar y ci i gael tipyn o faeth i Tomi'n awr iddo gryfhau, yn lle bod y bachgen a'r plant eraill heb gael dim ond rhyw de a bara menyn o hyd. Penderfynodd fynd i 'mofyn afu gyda pheth o arian yr hat. Fe gâi Ann trwy hynny, gnoi cil ar ei haberth.

Pan ddodai ei chot amdani clywai Morgan yn dyfod i lawr at gefn y tŷ gan chwibanu ac anwesu Alaw Jim fwy nag erioed wrth gau drws y gegin fach. Fe roes yr olwg hapus ar wyneb Morgan ail fflam yng nghynddaredd Ann, ac yr oedd yr olwg a gafodd Morgan ar wyneb Ann yn ddigon i ddiffodd pob gronyn o frwdfrydedd a'i daliodd rhag cwympo o eisiau bwyd ar y ffordd tua thre.

"Ti a dy hen gi," oedd geiriau cyntaf Ann, a chyn i Morgan allu casglu ateb at ei gilydd byrlymodd ymlaen.

"Dyma fe'r crwtyn yn llefen am afu, a thithe'n gwario d'arian a d'amser ar yr hen gi yna. 'Does dim posib iddo fe gryfhau ar y bwyd mae e'n gael. A dyna'r plant eraill mas yn yr oerni yn dryched am lo yn yr hen lefel yna, a thithe'n enjoio yn y cae rasus, a phobl yn dannod i fi 'mod i'n cael dillad newydd ar gefen dy hen gi di."

Digwyddodd peth rhyfedd yn y fan hon, Yn sydyn, fel fflach, daeth i gof Morgan iddo ennill ar gyfansoddi pedwar pennill i flodyn Llygad y Dydd mewn cwrdd cystadleuol yn y wlad pan oedd yn ddeunaw oed. Yr oedd degau o flynyddoedd oddi ar hynny, a bron gymaint â hynny er y tro diwethaf y daeth y peth i'w gof hefyd. A meddwl mai ei gariad at Ann a'i symbylodd i ysgrifennu'r penillion hynny. Cymerodd ei wraig ei ddistawrwydd yn arwydd o lyfrdra ac o gyfiawnder yr hyn a draethai, ac aeth ymlaen:

"A dishgwl yma," meddai, "os na chei di wared yr hen gi yna, mi bodda i e'n hunan."

'Buddugoliaeth Alaw Jim', *Ffair Gaeaf,* Kate Roberts

Darllen Pellach

'Gorymdaith', *Ffair Gaeaf,* Kate Roberts
'Diwrnod i'r Brenin', *Ffair Gaeaf,* Kate Roberts
'Egwyddor Eferest', *Twist ar 20,* Daniel Davies
O Law i Law, T Rowland Hughes

SALWCH A MARWOLAETH

Salwch corfforol neu feddyliol

Roedd Glenys ar y ffôn. Mae dy fam yn rowlio hyd y lle 'ma. Dy fam fyddai hi ac Elfed yn ei ddeud bob amser. Roedd 'na rywbeth yn amhersonol yn eu ffordd o'i ddeud o hefyd. Ond o ystyried y pethau roedd hi'n eu deud amdanyn nhw roedd yn syndod eu bod nhw'n sôn amdani o gwbl. Dydw i byth wedi dallt yn iawn sut roedd hi a Twmi'n gallu cyfnewid y straeon am fedd-dod Mam mor gyson heb adael i mi gael gwybod gair am y peth. Dim isio dy styrbio di, oedd cynnig ffrwcslyd Glenys pan ofynnis i. Wedi'r cwbwl, chdi ac nid Twmi sy'n edrach ar ei hôl hi.

Mi es draw, a chael Mam yn eistedd ar y wal y tu allan i'r tŷ yn ysgwyd ac yn mwmblian. Dw i'n cofio sylwi bod y cleisiau parhaol ar gefnau'i dwylo'n edrych yn waeth yn yr haul, a'r croen amdanyn nhw'n fwy crebachlyd a melyn a hen. A hyd yn oed yn fan'no mi wibiodd drwy fy meddwl i mai'r rhain oedd wedi fy magu i.

'Danial? Chdi sy 'na, Danial bach?' Ella mai nabod sŵn y car ddaru hi. Yn sicr, ddaru hi ddim codi'i phen. Ac ella mai ei greddf hi oedd ar waith. Dyna yn bendant oedd yn gyfrifol am yr hyn ddigwyddodd nesa. Ro'n i wedi mynd heibio iddi i gael pob drws yn agored er mwyn ei llusgo i'r tŷ, ond doedd dim angen. Roedd hi wedi codi ac wedi 'nilyn i, yn gam a thrystfawr, ac er ei medd-dod anferthol, sylweddolodd mai Glenys oedd yn gyfrifol am 'y nghael i yno. Dyna'r pryd yr aeth hi'n ffliwt. Aeth yn syth at ei chadair, a gafael fel ci am asgwrn yn y ddwy fraich a'u crafu, a dechrau ar Glenys. Chlywis i rioed y fath gyhuddiadau yn cael eu lluchio ar neb. Ac roedd ei llais yn glir fel cloch, a phob llythyren yn ei lle, a dim ond yr ailadrodd haplyd a'r pwysleisio afresymegol a'r un mor haplyd ar ambell air yn cyfleu bod unrhyw beth o'i le, ar wahân i'r pethau oedd yn cael eu deud. Mi gyhuddodd Glenys o bopeth oedd yn bod, pob trosedd, pob gwendid, pob anweddustra. Doedd dim gobaith trio'i thawelu hi, dim ond gadael iddi a dychryn bod y fath wenwyn yn bosib. Roedd pob drwgdeimlad a phob achos drwgdeimlad o bob dydd o'i hoes yn cael ei chwydu allan, ac wrth eu clywed felly un ar ôl y llall roedd hi'n dod yn glir fel yr haul amherthnasol y tu allan mai ei dychymyg a'i hymennydd hi'i hun oedd tarddle'r cwbl. Roedd hi'n mynd i gysgu am ryw hanner munud, yna'n deffro ac ailddechrau arni. Roedd hi'n neidio ar ei thraed bob hyn a hyn ac yn ei chychwyn hi am y drws a finna'n ei hyrddio hi'n ôl. Mi es inna drwy bob congl o'r tŷ, drwy bob drôr a thrwy bob cwpwrdd, dan y gwelyau a phobman. Roedd y lle'n cerdded gan boteli, rhai heb eu hagor, rhai dan haenen o lwch anghofrwydd. Sieri a wisgi a gwin oeddan nhw i gyd. Yng nghanol sŵn gwichian gorffwylledd aeth y cyfan i lawr y sinc. Rhoddais y poteli gweigion mewn sach du a mynd â fo i'r car. Roedd hi allan yn gweiddi. Llusgais hi'n ôl. Agorais ddrws ei llofft a'i thynnu i mewn a chau arni. Ond roedd hi allan wedyn fel siot ac yn dechrau ar Glenys drachefn. Yn y diwedd methodd honno â dal a dyma hi'n dechrau crïo. Fedrai hi wneud dim byd gwaeth.

'Mi laddist ti Cemlyn bach, yr hen slwt!'

Roedd hi wedi codi o'i chadair i gyhoeddi hynny. Ella mai gweld Glenys yn rhedeg i'r cefn ddaru hi. Rhuthrais inna ati a gafael ynddi a'i hysgwyd hi, meddw neu beidio, dynes neu beidio, mam neu beidio, fel tasai hi'n ddystar...

Y Llaw Wen, Alun Jones

Darllen Pellach

'Machlud', *Twist ar 20,* Daniel Davies
'Ci Du', *Cathod a Chŵn,* Mihangel Morgan
'Meddyliau Siopwr', *Rhigolau Bywyd,* Kate Roberts
Bitsh!, Eirug Wyn
Pan Oeddwn Fachgen, Mihangel Morgan
Sarah Arall, Aled Islwyn

Marwolaeth

Roedd hi'n dawel ac yn llonydd braf er mai noson lem o hydref oedd hi. Prin gymell y cangau wnâi'r gwynt, ac eto disgynnai cawod drom o ddail yn ddistaw bach. Pob un yn troelli ganwaith–filwaith cyn disgyn yn ddisymud ar lawr y maes parcio. Gorweddent yno'n farw lonydd fel pe baent yn ddiog ddisgwyl rhyw chwa o wynt i'w sgubo o'r naill du i'r cilfachau anhygyrch. Roedd y polion golau oren a amgylchynai'r ysbyty yn taflu llewyrch ar y tawch a hongiai uwch y to. Edrychai'r cyfan fel golygfa o ffilm ias wyddonol – yr ysbyty, y golau oren, y dail, y tawelwch a'r ochain.

Sawl tro y bu oriau mân y bore hwnnw yn llosgi'i feddyliau nas cofiai Tomos, ond yr hyn a gofiai oedd cyrraedd yr ysbyty ar wib wyllt, ei draed yn crensian y dail ar lawr a chlywed, trwy weddill y distawrwydd llethol, yr ochain. Fe wyddai Tomos beth ydoedd ond gwrthododd iddo'i hun briodi'r sŵn â'r darlun a fynnai ddod i'w feddwl. Dim hyd nes iddo ddringo'r grisiau, cerdded y coridor, camu drwy'r drws ac edrych i'r gornel lle'r oedd gwely Llinos.

Llinos yn ddeuddeg ar hugain oed ac mewn crud fel baban. Ei chorff wedi crymanu'n ddim a hithau yn esgyrn lond ei chroen. Ei breichiau a'i dwylo a'i bysedd wedi hylldroi yn gangau cnotiog a'r rheini yn pawennu'r awyr fel cath fach yn anterth ei chwarae. Ei llygaid bywiog direidus yn rhowlio'n ddi-baid mewn tyllau crynion. Ei gwên barod yn ysgyrnygiad safnrhwth barhaol a'r croen sglein yn felyngrych frwnt. Ond Llinos oedd hi. Llinos yn ochneidio fel anifail dolurus. Ei Linos o yn drewi o angau.

Tasgodd y dagrau i'w lygaid a mygodd ei anadl yn ei fynwes. Corddodd ei stumog a chwydodd lond ceg o grachboer. Methodd reoli ei hun ymhellach a llithrodd fel cadach llipa i'r llawr.

Hon oedd y foment y bu'n ceisio'i gohirio cyhyd. Ond dim mwyach. Ger ei fron, y foment hon, roedd Llinos, a'i bywyd bach yn araf cael ei wthio i loc marwolaeth.

Bu yno awr, efallai mwy. Y peth nesaf a gofiai oedd y distawrwydd. Darfu'r ochain, ac fe ddaeth yn ddiarwybod o rywle. Distawrwydd a llonyddwch. Y distawrwydd a'r llonyddwch stond. Doedd dim yn dod. Dim byd. Dim ond y sylweddoliad fod Llinos wedi mynd am byth.

'Yr Heipocondriac Llawen', *Y Dyn yn y Cefn heb Fwstash,* Eirug Wyn

Darllen Pellach

Rhaid i Ti Fyned y Daith Honno dy Hun, Aled Jones Williams
'Dim ond Heddiw', *Y Dyn yn y Cefn heb Fwstash,* Eirug Wyn
'Y Plant', *Ffair Gaeaf,* Kate Roberts
'Y Condemniedig', *Ffair Gaeaf,* Kate Roberts
I Ble'r Aeth Haul y Bore, Eirug Wyn
Wele'n Gwawrio, Angharad Tomos

ADNABOD

Mae Islwyn Ffowc Elis yn mynd mor bell â dweud, 'Thema pob nofel o bwys yw'r hyn sy'n digwydd i ddyn mewn rhyw argyfwng yn ei fywyd. A'r peth hwnnw, mewn gair yw 'Adnabod'. Adnabod ei deulu, ei ardal, ei enwad, ei genedl, y byd – unrhyw un o'r rheina – ac/neu ei adnabod ei hun... Tynnu'r masg. Codi'r caead. Dyna thema sylfaenol y nofel fel ffurf ar lenyddiaeth.'

Ganol mis Ionawr fe ddaethai gair o Sheffield, Rene gwraig Deio, yn ei hysbu yn ddigon swta ac edliwgar fod ei frawd wedi gwneud ei siwrna ola union chwe blynedd yn ôl... yn dilyn gwaeledd maith a blin. Y gofal wedi bod yn dreth garw arni, medda hi, ond chafodd Deio ddim cam; roedd hi, fel yr unig deulu oedd ar gael iddo, wedi gofalu hynny. Ac fe barchwyd dymuniad ei gŵr am i'r llwch gael ei daenu ar fedd y teulu ym Mryndyffryn. Yr ergyd wedi dod ym mrawddeg ola'r llythyr – 'A thitha rŵan yn byw yn y lle, rhyfedd na fyddet ti wedi gweld y garreg goffa i Deio ar y bedd! Fe soniodd lawer iawn amdanat ti dros y blynyddoedd. Mi fydda dy gerdyn Nadolig wedi golygu llawer iawn iddo ar ei wely cystudd, chwe blynedd yn ôl.' Ac yna'r ôl-nodyn creulon o fyr – 'Er gwybodaeth, fe laddwyd Ifan, dy frawd arall, mewn damwain car bron i ddeuddeng mlynedd yn ôl. Ei daro ryw noson pan oedd ar ei ffordd adre o'r dafarn. Hyd y gwn i, chafwyd byth wybod pwy oedd gyrrwr y car.'

Parodd y llythyr nosweithia digwsg iddo a dechreuodd daflu bai ar y tŷ ac ar y dre ac ar y bobol. Pe bai wedi cadw draw, fyddai'r gorffennol ddim wedi dod i'w boeni na'r euogrwydd i'w ysu ddydd a nos. Sawl gwaith dros y blynyddoedd, meddai wrtho'i hun, yr oedd wedi ymhyfrydu yn ei annibyniaeth, heb fynd ar ofyn neb na dim. Mor llwyr y llwyddodd i ymddihatru o rwyma'r atgofion. A dyma'r cwbwl rŵan yn cael ei chwythu'n ôl i'w wyneb, fel y twll yn chwythu yng ngwyneb Johnny Rhyd Sam ers talwm. Roedd wedi meddwl fod ganddo graig o dan ei draed ond doedd hi'n ddim ond tomen o rwbel naddu wedi'r cyfan. Cam gwirion fu iddo adael Llundain o gwbwl.

Bu fore cyfan yn chwilio am 'fedd y teulu', ond roedd mynwent Glasfryn yn eang a'r cerrig yno rif y gwlith. Pwy fedrai ei gyfeirio? Idris falla. Fe ddwedodd hwnnw ei fod wedi colli hanner stêm i fynd i gnebrwng Johnny Rhyd Sam. 'Rhyw hannar ffordd i lawr y llechwadd sy'n gwynebu Cwm Coed Braw. Heb fod yn bell oddi wrth fedd yr hen Major Phillips os dwi'n cofio'n iawn. Hawdd ffendio hwnnw. Carrag fawr wen ar siâp obelisg.' Hyd yn oed ar ôl dod o hyd i fedd y Major – a hynny'n hawdd, diolch i gyfarwyddiada Idris – fe fu'n hir iawn cyn dod ar draws 'bedd y teulu'. A dod ar ei draws yn llythrennol yn y diwedd. Baglu dros lwmp bychan o farmor budur ar rywbeth nad oedd ond blerwch anwastad rhwng dau fedd. Rowlio'r garreg allan o'i nyth yn y gwair – 'In loving memory of my husband Deio. Died 12th January 1992'. Dim mwy na hyn'na! Ac o dan lwch ei frawd, fel y gwyddai Gwilym Wyn i sicrwydd bellach, gorweddai gweddillion Johnny Rhyd Sam ac Anti Hannah. Y creigiwr crefftus, y potsiar deheuig, y gŵr castiog, poblogaidd. Ac Anti Hannah annwyl, Hannah Cacan Blât, yr hen fodryb garedig a'i gwên fel yr haul. Gorweddfan ddigofnod i'r ddau. Pridd i'r pridd, llwch i'r llwch. Roedden nhw'n haeddu rhywbeth amgenach nag anialwch o fedd, siŵr o fod. Fe drefnai i gael carreg iawn wedi ei gosod yma ac fe dalai hefyd am dacluso'r llecyn. Wedi'r cyfan, os oedd yma le, yna yn fa'ma y câi ynta ei roi i orwedd ryw ddydd.

Ar Lechen Lân, Geraint V Jones

Darllen Pellach

'Perthyn', Gwenno Davies (*Doniau Disglair* – Cystadleuaeth y Goron, Eisteddfod yr Urdd Sir Ddinbych)

RHAGRITH A THWYLL

Yn ôl Islwyn Ffowc Elis, 'Mae'n anodd i nofel aeddfed beidio â darlunio rhagrith. Yn wir, cymeriad heb rywfaint o ragrith, cymeriad heb ddyfnder ydyw, cymeriad rhy syml. Mae gan bob cymeriad o bwys rywbeth i'w guddio oddi wrth y byd, ac oddi wrtho ef ei hun... nid oes dim yn fwy anodd i ddyn nag wynebu'r hyn ydyw. Ac mae hyn yn rhan o ddefnydd pob nofel o bwys.'

Rhagrith a Thwyll o fewn y teulu

Yn y nofel Troi Clust Fyddar *gan Lleucu Roberts mae gan Roger a Miriam ddau blentyn, Pete sy'n cydymffurfio ac yn bregethwr tra bod ei chwaer, Noi, yn rebel ac yn anffyddwraig. Nid yw Steve, ei phartner, yn Gristion chwaith. Daw ei rhieni i weld Noi yn yr ysbyty wedi iddi eni ei mab, Llion, ond gan ei bod yn fam ddi-briod ac nad yw'n fodlon i'w mab gael ei fedyddio, ni ddangosodd ei rhieni fawr o orfoledd wrth weld eu hŵyr bach.*

Gafaelais yn dynnach yn y sypyn bach diwrnod oed yn 'y mreichia.

Chymerodd Pete, a oedd yn ista yn y gadair yn ymyl y gwely, fawr o sylw ohonon ni. Medrwn weld ei fod o'n poeni: roedd o wedi disgwyl i'w rieni fod wedi cyrraedd bellach. Bu'n ymbil arnyn nhw i ddod i weld eu hŵyr bach newydd – a'u merch oedd bellach yn fam – ond doedd 'na'm golwg ohonyn nhw a ninna yno ers awr dda.

'Bach 'di o 'te?' meddwn i wrth Pete i drio'i gynnwys yn ein sgwrs.

'Del 'di o,' medda fo wrth Noi, 'deliach na'i fam.'

Gwenodd Noi wên fach straenllyd arno.

'A'i ewyrth,' meddwn inna.

Dyna pryd y glaniodd Roger a Miriam. Safai'r ddau'n betrus wrth ddrws y ward fel tasan nhw'n disgwyl cael eu gwahodd i mewn. Cododd Pete fel bollt: doedd ei sgiliau fo fel diplomydd ddim yn gwbl ddiwerth wedi'r cyfan. Mi 'nath le i'w fam eistedd ac estynnodd gadair o ben arall y ward i'w dad. Gwyrodd Miriam dros y bwndel yn 'y mreichia i a dechra siarad â'r bychan. To'n i'm yn siŵr ai ei gynnig o iddi ai peidio, tan i Pete roi nod bach, ystum llygid yn fwy nag ystum pen, ar i mi neud. Edrychodd Miriam arna i'n nerfus ac ysgwyd ei phen i wrthod. Doedd hi ddim eto'n barod i'w dderbyn yn ei breichiau.

'Llion,' meddai Noi a rhyw olwg be-s'isio-rhein-ma ar 'i hwyneb.

'Llion,' gwenodd Miriam am y tro cynta gan sbïo ar Roger fel tasa hi'n gofyn am ei ganiatâd o i wenu, a phastiodd Roger yntau wên ar ei wefusa – gwenau'n gwingo. Ond roedd gan Roger betha pwysicach nag enw ei ŵyr ar ei feddwl.

'Ma gynnon ni un peth i'w ofyn i ti,' meddai, heb adael i'w lygid gyfarfod â rhai Noi. 'Fysat ti, er 'yn mwyn ni, yn 'styriad 'i fedyddio fo?'

O'r badell ffrio i'r tân cyn i'r saim ddechra cynhesu, meddyliais.

'Na fyswn,' meddai Noi heb oedi. Cyfarfu llygid Roger a Miriam a gwelwn fod Pete wedi dal y môr o siom oedd yn llenwi'r ddau bâr.

'Yli Naomi,' meddai Pete gan geisio bod mor gymodlon ag y gallai, yn ôl y ffordd roedd o'n pwyso dros y gwely i siarad efo hi ('ta bygythiad oedd ei glosio fo ati?). 'Os mai 'mond mymryn o ddŵr ar dalcen ydi o i chdi, pam ddim 'i neud o? Fyddi di na fo ddim *gwaeth*.'

Fedrwn i'm llai na chytuno efo fo. Be ar wyneb daear allai fod o'i le ar hynna?

''Y mab *i* ydi o. Ga i neud fel dwi isho efo fo, a dwi'n deud fod o ddim i ga'l 'i fedyddio, iawn?'

'Styfnig.' Methai Pete â chuddio'i rwystredigaeth.

'Ella, pan fydd o dros 'i ddeunaw, bydd o *isio* ca'l 'i fedyddio. Geith neud radag honno,' meddai Noi. 'Ond 'swn i'm yn dal 'y ngwynt,' ychwanegodd. 'Sgin i'm unrhyw fwriad 'i fagu o'n Gristion.'

'Mi weddïan ni drosto fo 'lly,' meddai Roger yn ddigon addfwyn, yn benderfynol o beidio â llusgo'i hun na'i wraig na'i fab i ffrae a Llion bach ond deunaw awr oed.

O fewn chwarter awr, ymddangosodd Steve a'i rieni'n wenog, flodeuog, yn nrws y ward a symudais i neud lle iddyn nhw. Ar yr un pryd roedd 'na nyrs yn deud rwbath am '... ddim ond dau i bob gwely...' a chododd Pete ar unwaith. Plygais i roi cusan i Noi. Ond roedd Roger a Miriam wedi codi i fynd hefyd wrth i Roger amneidio'i ben i gyfarch tad Steve heb unrhyw fwriad o siarad efo fo. Dau bâr o rieni'n lluniau negatif o'i gilydd.

'... to'n ni'm yn bwriadu aros yn hir...' medda Miriam.

Troi Clust Fyddar, Lleucu Roberts

Rhagrith a Thwyll yn y gweithle

Mae Alun yn gyn-garcharor sy'n chwilio am waith ac yn galw heibio i ENCA, cwmni y bu'n gweithio iddynt cyn mynd i garchar, er mwyn cael gair â rheolwr y cwmni, Neifion.

Dyn sengl yn ei bumdegau cynnar yw Neifion yn gwisgo'n 'ifanc' ac yn fflyrtio'n agored a digywilydd gyda holl weithwyr benywaidd y cwmni sy'n ifancach na fe. Yn ôl y sibrydion, dyn hoyw yw e yn gwadu ei reddfau rhywiol: mae ei wallt arian yn bradychu'i oedran a'i goatee bach twt yn bradychu'i ansicrwydd.

Neifion yw rheolwr y cwmni – yn fwy o bwped neu gi rhech i'r bòs na dim byd arall. Cachgi dauwynebog, di-asgwrn cefn, hiliol a homoffobaidd yw e, sy'n credu'n gryf ym mawredd ei fodolaeth; y math o ddyn fyddai'n chwarae Herod bob Nadolig yn nrama plant y capel pan oedd e'n ifanc. Gan nad yw'r bòs bron byth yn bresennol yn y pencadlys – oherwydd dyletswyddau lobïo, hyrwyddo a gwledda cyson – Neifion sy'n gyfrifol am redeg y lle o ddydd i ddydd. Ac oherwydd ei bwêr, mae'n troedio'r coridorau fel Tony Montana... gan gerddetian fel Richard Fairbrass.

"Alun, Alun, Alun! Sut wyt ti, boi?" mae'n holi gan fy nghyfarch fel hen ffrind – rhywbeth na fues i erioed. "Dilyna fi i'r swyddfa, Al. Ti moyn diod? Te, coffi neu ddŵr."

"Dim diolch, dw i'n iawn, am nawr."

"Ti'n siŵr?"

"Positif, diolch."

"Shiranee, coffi du, nawr, 'na ferch dda."

A dilynaf y bwli tua'i stafell gyda 'ngwaed i'n berwi mewn ymateb i'w orchymyn anghwrtais a diraddiol. Cyn ymuno â Neifion yn ei swyddfa, edrychaf dros fy ysgwydd a dw i'n falch o weld Shiranee yn codi'i bys canol i'w gyfeiriad mewn ystum amharchus...

"So, sut alla i dy helpu di heddiw, Al?"

"Edrych am waith dw i, a dweud y gwir..."

"S'dim agoriad yn yr adran gyfieithu ar hyn o bryd..." Mae'n ymateb yn orawyddus, gan wneud i fi amau pa mor ddibynadwy yw ei eiriau.

"'Na i neud unrhyw beth, jyst angen cyfle i ailddechrau gweithio sy arna i..."

Nodia Neifion a rhoi'r argraff ei fod yn meddwl yn ddwys...

"A dweud y gwir, Al, sdim agoriad yn unrhyw le 'da ni ar hyn o bryd, ond os adewi di dy rif ffôn, 'na i gysylltu â ti pan fydd cyfle'n codi, iawn?"

Dw i am ddweud 'na, dyw hi ddim yn iawn, helpwch fi!' ond fel arfer, does 'na ddim gwynt i hwylio fy llais ar adeg fel hyn. Yn hytrach, dw i'n dweud "Ie, grêt, cadwch fi mewn cof. Dw i ar gael o heddiw 'mlaen."

Wedi ysgwyd llaw unwaith eto, dw i'n gadael y stafell, y dderbynfa a'r adeilad heb ymweld â fy hen adran. Ac er 'mod i'n gwybod na fydda i'n clywed gair gan ENCA byth eto, dyw hyn ddim yn fy ngwylltio na'm siomi. Ro'n i'n disgwyl i hyn ddigwydd – y rhagfarn – achos sdim byd yn creu mwy o ofn yng nghalonnau'r dosbarth canol na chyn-garcharor...

Ffydd Gobaith Cariad, Llwyd Owain

Darllen Pellach

'Anrheg Nadolig', *Straeon Bob Lliw,* Eleri Llewelyn Morris
'Wrth Ei Gynffon', 'Jini', *Cathod a Chŵn*, Mihangel Morgan
Twyllwr a rhagrithiwr sy'n ymddangos yn ddyn parchus yw Capten Trefor yn *Enoc Huws*, Daniel Owen.

DADRITHIAD

Ystyr dadrithiad yw cael eich siomi. Mae gan bawb freuddwydion ac yn aml mae'r breuddwydion yn profi'n wag ac yn siom. Neu fel y dywedodd Camus yr 'ysgariad rhwng y meddwl sy'n dyheu a'r byd sy'n siomi'.

Yn stori Kate Roberts 'Ffair Gaeaf' mae'r cymeriadau yn teithio ar y trên i'r ffair – pob un yn edrych ymlaen gyda'i obeithion ei hun – ond maen nhw'n cael eu siomi. Symbol yw'r ffair o fywyd – rydyn ni'n gobeithio, breuddwydio a dyheu ond yn aml mae'r cyfan yn troi'n siom a dadrithiad.

Wedi gadael y stesion cerddodd Meri Olwen yn syth at hen siop Huw Wmffras, lle'r oedd i fod i gyfarfod â'i chariad, Tomos Huw. Chwarelwr ydoedd, yn byw wyth milltir o'r fan lle'r oedd hi'n forwyn. Roedd yn well gan Meri Olwen fod Tomos Huw yn byw cyn belled â hynny oddi wrthi, oblegid bod ganddi ddelfrydau. Ac un o'r delfrydau hynny ydoedd bod yn well i chwi beidio â gweld eich cariad yn rhy aml – fel y gwnâi rhywun petai'n byw yn yr un pentref. Roedd hi'n eneth dda i unrhyw feistres. Gweithiai'n ddidrugaredd rhwng pob dau dwrn caru er mwyn i'r amser fyned heibio'n gyflym, ac am y gwyddai y byddai'n sicr o'i mwynhau ei hun pan ddôi noson garu. Dim ond gwaith a wnâi iddi anghofio'i dyhead am weled Tomos. Ac eto, yr oedd yn sicr yn ei meddwl, pe gwelsai hi Tomos yn aml, yr âi'r dyhead yma'n llai, ac y câi hithau felly lai o bleser pan fyddai yn ei gwmni.

Ar hyd y ffordd yn y trên prin y medrai guddio ei gorawydd am weled Tomos, a phan gerddai ar hyd y Bont Bridd, bron na theimlai'n sâl rhag ofn na byddai Tomos yno. Oedd, mi roedd o yno, yn siarad ac yn lolian efo thair o enethod, a'r rheini'n chwerthin ar dop eu llais a thynnu sylw pawb atynt. Safodd Meri Olwen yn stond. Aeth rhywbeth oer drosti. Roedd Tomos yn ei fwynhau ei hun yn aruthrol. Roedd yn ceisio dwyn rhyw gerdyn oedd yn llaw un o'r genethod, a hithau'n gwrthod ei roi iddo. Medrodd gael cip arno o'r diwedd, ond nid heb i'r eneth dynnu ynddo lawer gwaith. Chwarddodd Tomos dros y stryd wedi gweled yr hyn oedd ar y cerdyn, ac wrth ei roi'n ôl i'r eneth syrthiodd ei lygaid ar Meri Olwen, a sadiodd ei wep. Gadawodd y genethod yn ddiseremoni, a daeth at Meri.

'Hylo, Meri, sut y mae hi? Mi 'roedd ych trên chi'n fuan, oedd o ddim?'

'Ddim cynt nag arfer.'

'I ble cawn ni fynd?'

'Waeth gin i yn y byd i le.'

'Ddowch chi am de rŵan?'

'Na, mi fydd yn well gen i ei gael o eto.'

'Mi awn ni am dro i'r Cei ynta.'

Roedd calon Meri Olwen fel darn o rew a'i thafod wedi glynu yn nhaflod ei genau.

'Rydach chi'n ddistaw iawn heddiw.'

'Mae gofyn i rywun fod yn ddistaw, gin fod rhai yn medru gwneud cimint o dwrw.'

'Pwy sy'n gwneud twrw rwan?'

'Y chi a'r genod yna gynna.'

'Mae'n rhaid i rywun gael tipyn o sbort weithia – pe tasach chi'n gweld postcard doniol oedd rhywun wedi ei anfon i Jini.'

"Toes arna i ddim eisio clywed dim amdano fo.'

'Twt, mi 'rydach chi'n rhy sidêt o lawer.'

'Ydw; drwy drugaredd, 'fedrwn i byth lolian efo hogiau fel yna.'

'O! gwenwyn, mi wela i.'

Ac ni fedrai Medi Olwen ateb dim iddo, oblegid dywedasai'r gwir.

Aeth yn ei blaen, ac yntau'n llusgo ar ei hôl.

'Well i chi fynd yn ôl at ych Jini, â'i jôcs budron.'

Safodd Tomos wedi ei syfrdanu. Ni chlywsai erioed mo Meri Olwen yn siarad fel hyn o'r blaen. Roedd hi yn un o'r rhai mwyneiddiaf.

Cerddodd hi ymlaen ac ymlaen. Trawai ei sodlau'n drwm ar y ddaear, ac fe'i cafodd ei hun ymhen yr awr mewn pentref nas adwaenai. Yn y fan honno y dechreuodd oeri. Gymaint yr edrychasai hi ymlaen at y diwrnod hwn ers pythefnos! Nid yn aml y medrai fforddio dyfod i'r Dre. Edrychasai ymlaen nid yn unig at weled Tomos, ond hefyd at gael te gydag ef ym Marshalls, a chael dangos i bobl fel Ben a Linor, oedd newydd briodi, ei bod hithau ar y ffordd i wneud hynny. Ond yrŵan yr oedd ei delfryd yn deilchion. Cerddodd yn ôl i'r Dre yn araf, a'i chrib wedi ei dorri. Nid aeth i gael te yn unman. Aeth i ystafell aros y stesion i ddisgwyl y trên saith.

'Ffair Gaeaf', *Ffair Gaeaf,* Kate Roberts

Darllen Pellach

'Genod Neis', *Genod Neis,* Eleri Llewelyn Morris
Te yn y Grug, Kate Roberts

Diwedd diniweidrwydd yn creu dadrithiad

Rwy'n sefyll ar y clos. Yn f'ymysgaroedd mae nadredd trymion yn cordeddu. Mae Mam, Dad a Cled Saer yn cario dŵr i'r pair yn yr Hen Dŷ.

'Mam, ga i nôl burum i chi o'r Blue Belle?'

'Na chei, wir! Pwy grasu bara wna i ar ddwarnod lladd mochyn?'

Mae Dad yn rhoi matsen yn y brigau yng ngwaelod y pair. Rwy'n siŵr bod rhywbeth i ti wneud yn y tŷ.' Mae'i lais e dipyn yn dynerach nag un Mam.

'Ga i fynd lawr i Bwlchcerdinen, te?'

'Sawl gwaith sy'n rhaid gweud wrthot ti! D'os neb gartre 'co!' Mae Mam wedi colli'i hamynedd. 'A phaid â chico bla'n dy sgidie felna! Berwa'r tegil i Jones y Bwtshwr ga'l cwpaned o de pan gyrhaeddith e.'

Rwy'n mynd i'r tŷ, yn codi'r tegil o'r pentan a'i roi ar y tân. Mae'n dechrau canu, ac rwy'n 'i godi i'r linc uchaf.

Mae Lark yn cyfarth, ac rwy'n gwybod cyn mynd i'r drws mai Jones y Bwtshwr sy 'na. Mae wedi disgyn o'i feic, ac mae'n 'i hwpo lan y rhipyn tuag at y clos. Ar un ochor iddo, mae'r clawdd bydleia. Mae'r nadredd yn 'y mola yn ymladd â'i gilydd yn ffyrnig.

Rwy'n taflu hud ar y clawdd bydleia, fel y darllenais i am wrach yn hudo. Yn sydyn, mae blodau porffor, pigfain yn neidio o'r clawdd ac yn sefyll yn ffordd cyrn beic Jones y Bwtshwr.

'Myn diawl i!' Mae mwstash cringoch y bwtshwr yn closio at 'i drwyn mewn syndod. 'Allwch chi ddim lladd mochyn heddi! Mis Mehefin yw hi, a does dim 'r' yn y mis!'

Ond mae Lark yn rhuthro at y beic ac mae'r hud yn diflannu.

'Bore da, bawb!' Mae Jones yn tynnu'i fag oddi ar 'i gefen. Yn hwn mae'r gylleth. Mae'r nadredd wedi gadael 'y mola i er mwyn torchi'n dynn am dop 'y nghoesau i.

'Cwpaned o de cyn dechrau, Jones?'

'Na, mi awn ni mla'n â'r gwaith. Ma' Ma's Canol yn lladd heddi hefyd.'

Maen nhw'n mynd yn drŵp at y twlc. Dad sy'n cario'r rhaff a fe sy'n agor drws y twlc. Mae'r mochyn yn cael 'i arwain mas.

Mi allwn i ddianc i'r tŷ, ond mae'r nadredd wedi malu esgyrn 'y nghoesau i. Mi allwn i gau'n llygaid, ond mae'r gylleth wedi'u hudo nhw a'i gloywder, ac alla i ddim 'u cau nhw na hyd yn oed 'u clapo nhw. Mae'r gyllell yn llamu o law Jones ac i dagell y mochyn. Y Sgrech sy'n torri'r hud. Rwy'n troi ar 'yn sawdl, yn rhuthro i'r tŷ a lan y steiriau.

Ond mae'r mochyn wedi danfon y Sgrech i 'nilyn i.

Pwno 'mhen i'r glustog, tynnu dillad y gwely dros 'y mhen. Ond mae'r Sgrech yn glynu.

Prynhawn o Awst. Ti ar y swing a oedd yn sownd wrth un o ganghennau'r Hen Dderwen. Minnau'n hel mes ar y llawr. Cysgodion y dail yn frith yn y borfa – Minnau'n ymestyn 'y nghoesau a phwyntio bysedd 'y nhraed i sbarduno'r swing i fynd yn uwch ac yn uwch – Honno'n gwegian ei phrotest. Y cloddiau'n gweiddi addewidion am gnau a mwyar ma's o law – Arafu... arafu... ac o'r diwedd gallu defnyddio 'nhraed fel brêc i aros a disgyn o'r siglen. Ac yno roeddet ti – Y fodrwy yn 'y nhrwyn yn ddim rhwystr i fi hel y mes – Mi sefaist ti am ennyd ac edrych i fyw 'yn llygaid i a'th lygaid bychain dithau... wedyn mi roist ti roch fach...

Ni'n dau'n cyfarch ein gilydd o'n paradwysau bach – Y weithred honno a'r foment honno yn ein gwneud ni'n gymrodyr am byth.

Pam na chipiaist ti mo'r gylleth o ddwylo brwnt Jones y Bwtshwr? Rwyt ti wedi fy mradychu i, fy mradychu i...

Dim enaid byw yn y gegin ond yn yr Hen Dŷ mae rhialtwch.

Y mochyn yn stiff ar styllen. Dad, Mam, Sam, Cled Saer a Griffith John yn crafu'r blew garw, clawr stên yn llaw pob un. Y croen a grafwyd yn debyg i gern Dad, reit ar ôl iddo fe siafo. Gwaed yn diferu o'r rhac yng ngwddwg y mochyn.

'Wel, Esther fach, ma' argo'l da am ffagots 'ma heno!' Cled Saer yw'r unig un sy'n gneud sylw ohono i.

Cripio nôl i'r gegin. Mam yn 'y nilyn ac yn 'yn hala i ar neges. Pan ddo i nôl mae'r mochyn yn hongian gerfydd ei draed yn y pasej, y rhac nawr yn ymestyn o'i wddwg i'w gynffon, a phadell enamel yn dal y gwaed sy'n diferu o'i geg.

Heno, rwy'n ffaelu â chysgu. Rwy'n swatio yn 'y ngwal nes bod pob prysurdeb wedi peidio a phawb wedi mynd i'r gwely.

Ond ar y distawrwydd, pan ddaw, mae staen y Sgrech.

Y Llyffant, Ray Evans

Darllen Pellach

Darlun o ddiwedd diniweidrwydd ac o realiti creulon y byd yn dinistrio hapusrwydd plentyndod yw *Un Nos Ola Leuad* Caradog Prichard.
Gloynnod, Sonia Edwards
Y Gongl Felys, Meinir Pierce Jones
Te yn y Grug, Kate Roberts
Yn y Gwaed, Geraint Vaughan Jones
Bitsh!, Eirug Wyn

Gwacter Ystyr o ganlyniad i ddadrithiad

Pan gododd Wil am hanner awr wedi un ar ddeg o'r gloch yn y bore roedd yr haul yn oleuni melyn y tu ôl i'r llenni llwyd. Teimlai Wil yn bendrist ac anniddig wrth feddwl am ddiwrnod heulog o'i flaen. Yna sylweddolodd fod ganddo ben tost; roedd poen y tu ôl i'w lygad dde a thrwy ochr dde ei ben; nid rhyw guro fel pen mawr ar ôl noson o yfed gwin rhad ond rhyw gnoi y tu mewn i'w benglog. Roedd y gwely'n gynnes a chlyd fel nyth ac roedd y stafell y tu allan yn oer ac anghroesawgar.

Arhosodd yn y gwely yn synfyfyrio. Gallasai fod wedi aros felly tan un o'r gloch oni bai am y pen tost. Bu'n rhaid iddo godi yn y diwedd i chwilio am dabledi i liniaru'r boen. Chwiliodd yn y droriau, yn y cypyrddau ac ymhob twll a chornel o'r stafell fechan anniben. Roedd hi'n amlwg ei fod wedi cael llawer o bennau tost yn ddiweddar am nad oedd yr un bilsen ar ôl– er iddo ddod o hyd i dri phaced gwag. Dyna'i arfer, cadwai bacedi gweigion, ac nid pacedi yn unig ond poteli a thuniau a phob math o bethau wedi iddo ddefnyddio'r cynnwys. Yn wir roedd y lle bach yn dechrau llenwi â phethau gweigion.

Gwnaeth Wil gwpaned o goffi du – nid yn y gobaith y byddai hynny'n lleddfu'r boen yn ei ben ac yn ei ddeffro ond am nad oedd ganddo laeth, er bod digon o boteli llaeth gwag ar y llawr. Roedd wedi bwriadu cael darn o dost ond fe losgasai hwnna pan oedd e'n eistedd yn ei gadair yn ceisio anwybyddu'r boen. Roedd y coffi'n chwerw.

Ofnai agor y llenni. Fe âi'r goleuni drwy ei ben fel bwyell. Ond roedd e'n benderfynol o geisio'i fwynhau'i hunan y diwrnod hwnnw am dipyn o newid. Cyn iddo ymwroli i dynnu'r llenni aeth at y drych bach i edrych ar ei wyneb. Roedd ei groen yn welw a'i wallt tenau yn seimllyd ac roedd cysgodion tywyll o dan ei lygaid cochion. Er iddo fynd i gadw'n gynnar a chodi'n hwyr roedd e'n ddrwg ei wedd. Penderfynodd nad eilliai eto, ni welai'r pwynt, doedd e ddim yn gorfod cwrdd â neb. Agorodd y llenni ond yn lle saeth boenus o oleuni llym gwelai ar y gwydr ddiferion o law a'r pafin yn wlyb a'r wybren yn llwyd. Newidiasai'r tywydd cyn iddo gyrraedd y llenni. Ond er bod yr haul gwan wedi diflannu doedd e ddim yn mynd i ddigalonni, er bod y boen yn annioddefol. Aeth i chwilio dan bentwr o hen bapurau newydd yn y gobaith o ddod o hyd i baced o'i dabledi. Ond heb lwyddiant, wrth gwrs. A chofiodd iddo fynd drwy'r un ddefod o'i ladd ei hunan a heb ddod o hyd i ddim y pryd hwnnw chwaith, er iddo chwilio a chwilio nes iddo anghofio'r syniad.

'Mi Godaf, Mi Gerddaf', *Saith Pechod Marwol,* Mihangel Morgan

Darllen Pellach

'Cymeriad Ilia', *Storïau Tramor 3*, Ifan Gonstarof

GWLADGARWCH A'R GYMRAEG

Gormes gwlad arall

Roedd hi'n hwyr iawn arna i'n mynd i'r ysgol y bore hwnnw, ac roeddwn i'n ofni'n fawr y byddwn i'n cael stwr gan fy athro...

Roedd y tywydd mor braf a'r awyr mor las.

Deuai mwyalchod i chwiban gydag ymylon y goedwig, ac o gae Rippert, y tu ôl i'r gwaith llifio gallwn glywed sŵn y Prwsiaid yn brysur gyda'u hymarferion milwrol...

Drwy'r ffenestr agored, gwelwn fy ffrindiau eisoes yn eistedd yn eu llefydd, a Mr Hamel yn cerdded yn ôl ac ymlaen a'r hen ffon galed gas dan ei gesail. Gorfu i mi agor y drws a mynd i mewn ynghanol y distawrwydd dwfn hwn...

Edrychodd Mr Hamel arna i heb ddim dicter yn ei olwg, a meddai e wrtha i'n dyner, – "Dos i dy le, Frantz bach, roeddwn i'n ofni y byddai raid i ni ddechrau hebddot ti."

Camais dros y fainc ac eisteddais ar unwaith o flaen fy nesg. Y pryd hwnnw'n unig, wedi i mi ddyfod dipyn ataf fy hun, y sylwais fod ein hathro wedi gwisgo'i ddillad gorau na fydda byth yn eu gwiso ond ar ddydd ymweliad yr arolygydd neu ddydd rhannu'r gwobrwyon. Yn wir yr oedd rhywbeth anghyffredin a difrifol yn yr holl ysgol y diwrnod hwnnw. Ond yr hyn a'm synnodd i fwya ydoedd gweld, ym mhen pella'r stafell, yn y seddau fyddai'n wag fel arfer, rai o ddynion y pentre, yn eistedd fel ninnau ac yn ddistaw ddigon...

Roeddwn i'n methu'n lân â deall beth oedd ystyr hyn i gyd, ac a minnau'n synfyfyrio, aeth Mr Hamel a safodd o flaen ei ddesg, ac yn yr un llais tyner a dwys, dywedodd, – "Fy mhlant i, dyma'r tro ola y bydda i'n rhoi gwers i chi. Mae gorchymyn wedi dod o Berlin mai dim ond Almaeneg sydd i'w ddysgu mwyach yn ysgolion Alsace a Lorraine... Daw'r meistr newydd yma yfory. Hon yw'r wers olaf a gewch chi yn y Ffrangeg. Rhowch, da 'mhlant i, eich holl sylw iddi hi."

Fe ges i fy nghynyrfu drwydda i gan ei eiriau. A! y giwed atgas!...

Y wers olaf i mi yn y Ffrangeg...

Aeth Mr Hamel yn ei flaen i siarad am yr iaith Ffrangeg, gan ddweud mai hi yw'r iaith dlysaf yn y byd, yr iaith gryfaf a'r fwyaf clir o'r holl ieithoedd; y dylen ni ei chadw'n fyw yn ein plith, a pheidio byth â'i hanghofio hi, oherwydd er i genedl syrthio i gaethiwed, cyhyd ag y bydd yn cadwo ei hiaith yn loyw, y mae ganddi hi megis allwedd ei charchar... Yna fe gymrodd ramadeg yn ei law, a darllenodd inni'r wers. Synnwn fy mod yn deall cystal y bore hwnnw... Ymddangosai popeth a ddywedai ef mor hawdd, mor hawdd. Rwy'n credu hefyd na wrandewais i erioed mor astud, ac na fu yntau erioed o'r blaen mor amyneddgar wrth egluro'r wers i ni; fel pe bai'r hen greadur, cyn ymadael, am gyflwyno i ni ei holl wybodaeth, a'i gosod yn ein pennau unwaith ac am byth.

Y wers nesaf ydoedd sgrifennu. Y dydd hwnnw yr oedd Mr Hamel wedi paratoi papurau newydd sbon, ac yn sgrifenedig arnynt mewn llythrennau crwn, tlws, – Ffrainc, Alsace, – Ffrainc, Alsace. Dychmygwn weld baneri bychain yn cyhwfan drwy'r ystafell ac yn hongian wrth ymylon ein desgiau ni. Dyna i chi lle'r oedd gweithio, a dyna beth oedd distawrwydd! Doedd dim i'w glywed ond sŵn y sgrifellau yn crafu wyneb y papur...

Ar gribin to'r ysgol parablai'r colomennod yn isel, isel, a meddyliwn innau wrth eu clywed, – "Tybed a fydd raid iddyn nhw, y colomennod, hefyd newid eu hiaith a chanu'n Almaeneg?"

Anghofia i fyth y bore ola hwn yn yr ysgol.

Yn ddisymwth trawodd cloc mawr yr eglwys hanner dydd, ac yna nodau dwys yr Angelus. A'r un foment, dan ein ffenestri, torrodd bloedd utgyrn y Prwsiaid, ar eu ffordd yn ôl o'r maes... Cododd Mr Hamel yn ei ddesg, a'i ruddiau'n llwyd welw. Credwn i ei fod ef yn llawer mwy nag arfer.

"Gyfeillion, meddai, "gyfeillion, rwy'n..."

Ond daeth rhywbeth i'w wddf. Amhosibl oedd iddo orffen ei frawddeg.

Yna trodd at y bwrdd du, cymerodd bwt o sialc yn ei law, a chan bwyso â'i holl nerth, sgrifennodd mewn llythrennau mor fawr ag y medrai:

"FFRAINC AM BYTH!"

Yna safodd yno a'i ben yn gorffwys ar y mur, a heb ddweud gair, ond gyda'i law gwnaeth arwydd arnon ni,–

"Mae'r cwbl drosodd... gallwch fynd yn awr."

'Bore Ola'r Ysgol', *Storïau Tramor 3,* Alphonse Daudet

Yr Iaith a'r Gymdeithas yn dadfeilio

'Dyma chi!' Sodrodd Harri ddau beint o flaen Sam Preis a John Wil ac aeth yn ôl at y bar i nôl dau arall.

'Iechyd da, Harri!' Cododd John Wil y peint llawn i'w geg cyn gorffen yr hen un. 'Fydd y cochyn, Jeff, ddim yn dwad yn y pnawn rŵan, Robin. Wedi cael job.'

O.

'Dreifio.'

'O?

'Ia, dreifio i'r *United.'*

Ymhen hir a hwyr deallodd Robin mai efo cwmni newydd Saeson Dôl-haidd a Chae'rperson yr oedd Jeff, y mechanic wedi cael gwaith.

'Diawliaid!' Er mai chwyrnu'r gair o dan ei wynt a wnaeth, roedd y lleill wedi clywed.

'Pam 'lly?

'Pam? Sbïwch be uffar ma'n nhw'n neud i'r Cwm 'ma. Ylwch y llwch a'r... a'r... a'r llanast yn yr afon.'

'Ond ma'n nhw'n rhoi gwaith, boi bach! Gwaith i'r locals!'

'I'r blydi cochyn 'na? Sais ydi hwnnw hefyd!'

'Digon da i drwsio dy dractor di, hefyd! Am ddim yn ôl pob sôn!' Synhwyrai Sam ei fod yn troedio tir go feiddgar.

Drachtiodd Robin yn ffyrnig o'i beint gan roi cyfle i'r cwrw oeri'r gwaed oedd yn codi i'w ben.

Gwelodd Harri'r arwyddion. Gwell troi'r stori. 'Gyda llaw, Robin, ma' gen i asgwrn i'w grafu efo ti.'

'O?' Dig a mulaidd.

'Oes. Sôn am Saeson, mi ddoth 'na ryw Sais i fyny acw gynna. Isio prynu tir gen i, medda fo.'

'Pwy oedd o, Harri?' Sam Preis a John Wil yn glustiau i gyd.

'Newydd ddallt mai fi bia'r tir rhwng y ffordd a'r afon. Rhywsut neu'i gilydd roedd o wedi cael y syniad mai Robin 'ma oedd bia fo ac nad oedd o ar werth.'

Dal i blygu'n fustlaidd uwch gwaddod ei gwrw a wnâi Robin. Gwyddai'n awr pwy oedd biau'r car a welsai cyn cinio ar ffordd y Cwm.

'Mr Davison ydi'i enw fo. Mr George Davison. Dyn busnas o Wolverhampton. Fo sy 'di prynu'r hen gapal.'

'O, The Haven.' Y postmon eisiau dangos ei wybodaeth.

'Gilgal,' meddai Robin yn swrth.

'Ia. Hen foi clen. Digon o bres yn ôl pob golwg. Wedi gwirioni efo'r lle. '*The closest I'll get to heaven'*, medda fo. Dallt hi?' Edrychodd Harri'n chwerthinog o un i'r llall ond ni ddoi ymateb, *'Heaven, The Haven,* capal!'

'Wel ia! Clyfar hefyd, i feddwl am gysylltiad fel 'na.'

'Dyna o'n inna'n feddwl hefyd, Sam. Eniwei, i'w ferch mae o wedi prynu'r lle ac isio cael codi stabla ac ati ar y tir yn ymyl. Hi a'i gŵr isio cadw *riding school.'*

'Wel, iawn. Rhwbath newydd i'r hen le 'ma.' John Wil yn gwbl ddidwyll.

'Hy!'

'Hyn'na ddim yn plesio chwaith, Robin? Ti'di mynd yn rel Welsh Nash, choelia i byth!'

'Hen gytia mawr ar lawr Cwm! Ceffyla'n mynd fel lician nhw ar Ros Gutyn a'r Grawcallt. Blydi pobol ddiarth ar draws pob man; Nhw a'u Susnag!'

'Waeth iti wynebu'r peth ddim. Mwy o Susnag fydd 'na o hyn ymlaen. Dydi'r Cwm yn ddim gwahanol i unrhyw gwm arall.'

'Cweit reit, John Wil!' ac aeth Sam Preis ymlaen yn bryfoclyd, *'Development,* Robin! Rhaid i'r byd fynd yn 'i flaen.'

'Eniwei,' meddai Harri, a'i lygaid yntau erbyn hyn yn llawn direidi, 'falla na fydd angan hen gytia mawr ar lawr Cwm wedi'r cyfan.'

'Be? Wrthodist ti werthu iddo fo?'

'Ddim yn hollol, Sam, ond mi aeth Mr Davison a finna i siarad am betha a dwi'n meddwl... dwi'n meddwl rŵan... a deud y gwir, dwi'n eitha siŵr 'i fod o... 'i fod o am brynu Llwyn-crwn'cw.' Roedd Harri yn amlwg uwchben ei ddigon ac yn methu â chuddio'i orfoledd.

'Y ffarm i gyd?'

'Ia.'

'Tra âi'r sgwrs yn ei blaen roedd Robin yn rhythu'n anghrediniol ar ei gymydog.

'Lle'r ei di i fyw, Harri?'

'Duwc annwyl, Sam, dydw i ddim wedi cael amsar i styriad petha fel'na eto. Pwy ŵyr? Hirfryn falla, ne 'w'rach y pentra 'ma.'

Yn Y Gwaed, Geraint Vaughan Jones

Darllen Pellach

O! tyn y gorchudd, Angharad Price (Gweler adran Gormes Amser)
'Bore Ola'r Ysgol', *Storïau Tramor 3,* Alphonse Daudet
'Y Dyn yn y Cefn heb Fwstash', *Y Dyn yn y Cefn Heb Fwstash,* Eirug Wyn
'Cyrtans', *Straeon Bob Lliw,* Eleri Llewelyn Morris

SERCH A CHARIAD

Mae genre arbennig wedi datblygu ym myd y nofel – y nofel serch neu'r nofel ramant. Mewn nofelau serch megis Cyfres y Fodrwy, sy'n cynnig rhyw fath o ddihangfa rhag bywyd, mae'r cymeriadau ar y cyfan yn arwynebol ac mae rheidrwydd i'r stori serch orffen yn hapus. Ond ceir hefyd nofelau sylweddol lle mae serch yn brif thema.

Cariad yn troi'n ddagrau

Toes 'na ddim byd gwaeth na chrio. Ond toes 'na ddim byd gwell chwaith, am a wn i. Mi wyddoch y math o grio dwi'n ei feddwl. Crio gwirioni. Fatha mama, a thada slei, pan mae'r plantos bach yn priodi. Crio meddwi. Pan mae'r ffaith fod Lerpwl 'di colli neu bris peint 'di codi yn ddigon amdanoch chi! Crio joio. Pan fo'r joc mor sobor o ddoniol neu ddiawledig o ddifrifol nes bod chwerthin yn brifo a'r dagra'n llifo a 'dach chi jest methu peidio, yn gwingo isho piso and yn trio eich gora glas i beidio. Y math yna o grio.

Ond mae yna grio gwahanol. Crio crombil. Crio achos toes yna ddiawl o ddim byd arall fedrwch chi ei wneud. Pan fo pob dim posibl wedi ei wneud a'i ddweud yn barod. Heb weithio. Ac felly, does yna ddim pwynt peidio. Dim ond gadal i'r dagra dreiglo, diferyd yn dalpia, troi'n bylla.

Un bar.

Dwy stol.

Dau fyd.

Dau gylch yn dal i gyffwrdd. Dau yn lle un. Fel chwythu swigan, jiarffio ar ôl 'nelu'r chwythiad cynta ar y chwinciad iawn i greu coblyn o swigan fawr nobl. Yna, yn ddirybudd, ddireswm, hollt. A'r swigan yn ymrannu'n ddwy belan fach bathetig, ddi-nod. Yna, ffrwydrad ffwr-a-hi, a diflannu. A gadal sebon yn yr aer sy'n llosgi'r ll'gada, tynnu'r dagra.

Weithia, pan mae 'na lygaid yn perlio, mae dagra mor ddiarth i'r cof a chrio'r tro dwytha. Mewn bocs saff yn y gornel bella wedi eu cadw o'r ffordd efo'r hunllefa, y ffraeo, y cecru, y gweiddi, y brifo a'r brad.

Gwallt. Grêt. Yn ogleuo fatha tasa fo'n blodeuo ar ôl y shampŵ lafundyr blw ti'n lecio. Yn syrthio i'w le, am unwaith, chwarae teg. Wyneb, jest neis. Dim gormod o golur, ond digon i dynnu sylw at fy ll'gada, fel y byddi ditha'n methu tynnu dy rai di o swyn fy rhai i. Persawr. Perffaith. Yr un sy'n dy ddal di bob tro, ers cyn co', yn gafael amdanat ti cyn i titha afael amdanaf inna a ninnau'n meddwi a gwirioni a charu ar yr ogla.

Llond lle. Llanast lliwgar. Mwg sigarét yn mygu ac ogla cwrw'n meddwi. Grŵp gwerin yn y gongl yn gyfeiliant ac yn gefndir i jeif y jiwc-bocs, sŵn y ffrwt-mashin, clecian y peli pŵl, canu'r criw rygbi, siarad dwys rhyw ddwy ledi yn y gongl a chwerthin chwareus rhyw ddyn yn ll'gadu'r un efo ji-an-ti ac yn ei thrio hi, a'i chariad hi, oedd yn y tîm rygbi:

Eu gweld, yn gwylltio ac yn gadal am ryw Gatraeth ar y traeth tu allan.

Diwrnod Crio, Lowri Davies

Cymhlethdod cariad

'Dach chi ddim yn meddwl ei bod hi'n hen bryd i ni roi terfyn ar y lol yma, Catrin, cyn i bethau fynd dros ben llestri?' Ac yna gostwng ei llais yn y fath fodd fel bod ei hymgais i siarad yn garedicach yn swnio'n debycach i chwythiad rhyw hen neidar biwis. 'Dan ni i gyd yn gwbod sut beth ydi cael crysh ar rywun…'

Mae meddwl am Lisi Lew yn cael crysh ar neb yn llacio mymryn ar y cwlwm yn fy stumog i. Mewn sefyllfa lai erchyll mi fyddwn i'n chwerthin. Ond mae hon yn sefyllfa erchyll. Abswrd ac afreal. Crysh. Bad mwf, Lisi. Mae hi fel petai clywed y gair 'crysh' wedi sgytio fy merch o'i pharlys. Crysh. Dwy weiren yn cyffwrdd yn ei hymennydd. Mewn eiliadau rwan, mi ddaw yna ddau ddotyn bach pinc i ganol ei bochau hi a fydd yna ddim dal ar yr hyn ddywedith hi os bydd Lisi'n dal arni. Paid â'i ddweud o eto, Lisi Lew. Paid â'i gwthio hi...

'Crysh gwirion, Catrin! Dyna'r cyfan ydi o...!'

Dyna hi rŵan. Cachu hwch o bethau.

'Naci, tad! Cariad ydi o! Cariad go iawn. Sgynnoch chi ddim syniad sut dwi'n teimlo... sut mae Dylan yn teimlo... Dim ond am nad oes gynnoch chi deimladau eich hun...'

Pwylla, Cit. Mae 'ngheg i'n agor, i drio ymyrryd, ond does dim yn dod allan. Dwi'n dynwared pysgodyn aur, ac fel pysgodyn aur mae fy ymennydd innau'n cau i lawr bob tri eiliad. Mae ceg Lisi Lew fel hollt bach gwaedlyd. Ac mae'r smotiau pinc ar fochau Cit yn tyfu, tyfu nes bod ei hwyneb hi'n binc i gyd. Cachu dwy hwch...

'Catrin, dwi'n siŵr bod hyn yn anodd iawn i chi...' Ymdrech wrol eto ar ran Lisi i gadw'i limpyn, i gadw'i llais yn wastad. Mae hi bron, bron yn swnio'n glên. '... A dwi'n siŵr eich bod chi'n credu nad oes 'na neb yn y byd yn dallt sut ydach chi'n teimlo...' Mae'n rhaid i mi edmygu'i dyfalbarhad hi. Ond mae Cit yn fwy pengaled fyth.

'Ma' Dylan yn dallt! Gofynnwch iddo fo! Ewch i'w nôl o, ac mi ddeudith o wrthach chi. 'Dan ni o ddifri'. Mae o'n mynd i adael ei wraig er mwyn cael bod hefo fi...'

Ei wraig? Dwi'n cael pwl sydyn o bendro. Mae'r boi 'ma'n briod. Edrycha Lisi Lew fel petai hi wedi rhoi'r gorau i anadlu. Ac yna, yn y distawrwydd trydanol, daw dagrau Cit yn genlli bach budr drwy'r masgara du mae hi wedi mentro'i wisgo heddiw er gwaetha' popeth. Dagrau diffuant. Dydi Cit ddim yn crio o flaen neb ar chwarae bach. Mae hi'n anodd i'w thrin yn aml, yn bengaled. Mae hi'n gallu llofruddio cystrawennau a phwdu am ddyddiau. Mae'i thu mewn hi'n gwch gwenyn o weithgarwch hormonaidd. Dydi hi ddim yn berffaith.

Ond dydi hi ddim yn gelwyddog chwaith. I'r gwrthwyneb. Mi fedar fod yn rhy onest weithiau a chreu trafferthion iddi hi ei hun yn lle dibynnu ar dipyn o gelwydd golau i arbed helynt. Heddiw mae Cit yn dweud y gwir. Dwi isio dilyn fy ngreddf. Gafael amdani. Dangos rŵan 'mod i'n ei chredu hi. A dwi'n estyn am ei llaw hi. Ond dydi hi ddim yn ymateb. Mae hi'n igian yn swnllyd a dwi'n ymbalfalu yn fy mag i chwilio am hances bapur iddi. Mae gan Lisi Lew focs Kleenex ar ei desg ond dydi hi ddim yn mynd i gynnig un i Cit. Mae hithau'n dangos ei hochr hefyd, ac mae hynny'n codi 'ngwrychyn i.

'Dach chi'n deud bod y Dylan Lloyd 'ma'n athro cyfrifol? Cyfrifol, ddeudoch chi? Dydi athrawon cyfrifol ddim yn cymryd mantais ar enethod ysgol, Mrs Lewis!'

'Na... Mam! Wnaeth o ddim... !'

Llygaid Lisi Lew yn goleuo dreigiau.

'O! Rŵan 'dan ni'n cael y gwir! Celwydd ydi o, felly. Ynte, Catrin? Dowch, waeth i chi gyfaddef ddim...'

'Naci!' Yn ei rhwystredigaeth mae Cit yn ailddechrau c'nadu. 'Nid dyna oeddwn i'n ei feddwl! Nid... nid cymryd mantais wnaeth o... mi oeddwn i isio. Mi oeddan ni'n dau isio. Mi ydan ni o ddifri... Gofynnwch iddo fo! Gofynnwch iddo fo...'

Mae llais Cit yn codi a chodi, yn ymylu ar hysteria.

'Mrs Wyn – mae'n rhaid i Catrin drio ymddwyn yn fwy rhesymol...'

Ymddwyn yn rhesymol. Fel y gwnaeth y bastad Dylan Lloyd 'ma wrth wneud ll'gada llo ar Cit ar draws y dosbarth, ia? Dyna sydd arna i isio'i ofyn go iawn. Doedd ei ymddygiad o ddim yn rhesymol, nag oedd? Fo oedd i fod i ymatal. I wybod yn well. Fo oedd yr athro. Y dyn priod. Mae'r cyfan yn dechrau codi pwys arna' i. Dwi'n codi o fy nghadair ac yn penlinio wrth ymyl Cit. Gafael amdani. Gwasgu'i llaw hi. Dydi hi ddim yn tynnu oddi wrtha' i rŵan. Ac er ei bod hi wedi sylweddoli bellach bod cweirio Dylan Lloyd yn uchel iawn ar restr fy mlaenoriaethau i ar hyn o bryd, mae hi hefyd yn gwybod 'mod i'n ei chredu hi. Sy'n fwy nag y mae Lisi Lew'n ei wneud.

'Dwi'n credu mai'r peth gorau i Catrin ei wneud ydi mynd yn ei hôl adra hefo chi – cymryd ychydig ddyddiau i feddwl yn ofalus ynglŷn â...'

'Mae fy merch i'n deud y gwir, Mrs Lewis!'

Bron na fedrwn i dynnu pen fy mys ar hyd y distawrwydd, a'i godi fel llwch. Dydi Lisi Lew ddim wedi ystyried am eiliad bod Cit yn dweud y gwir. Dydi hi ddim wedi meddwl go iawn fy mod innau'n ddigon gwirion i'w chredu hi chwaith, er mai fi ydi'i mam hi. Mae'i mudandod hi'n rhoi hyder i mi.

'Erbyn meddwl, Mrs Lewis, oni ddylen ni wneud fel mae Cit yn awgrymu, a gofyn i Dylan Lloyd ei hun... ?'

Mae Cit yn tynhau'i gafael yn fy llaw i. Mae wyneb Lisi Lew wedi mynd o binc i wyn. Gwyn cyn wynned â bochau Cit.

'Mae arna' i ofn bod hynny'n amhosib, Mrs Wyn...'

'Ylwch, Mrs Lewis, fedrwch chi ddim cadw ar y dyn 'ma fel hyn. Mi fuon nhw hefo'i gilydd. Mae Cit yn deud y gwir. Ac mae yna rywun wedi eu gweld nhw...'

Mae hyn yn rhoi ysgytwad i Lisi. Tystion. Pobol wedi eu gweld. Mae yna anesmwythyd yn ei llygaid hi rŵan. Efallai ei bod hi newydd sylweddoli bod enw da un o athrawon y lle 'ma yn y fantol. Efallai ei bod hi'n dechrau amau Dylan Lloyd wedi'r cwbwl. Swnia fymryn yn llai ymosodol.

'Dydw i ddim yn cadw ar neb, Mrs Wyn. Trio cael y ffeithiau'n glir ydw i. Mae Catrin yn honni ei bod hi a Mr Dylan Lloyd yn cael perthynas. 'Dach chitha'n deud bod rhywun wedi eu gweld nhw hefo'i gilydd?'

'Galwad ffôn ddienw, Mrs Lewis. Ffordd ffiaidd iawn o roi gwybodaeth i rywun.'

Mwy o ddistawrwydd. Mwy o anesmwythyd. Mwy o snwffian crio o gyfeiriad Cit.

'Faswn i ddim yn lecio rhoi gormod o goel ar alwad...

Merch Noeth, Sonia Edwards

Darllen Pellach

'Y Psychiatrist', *Storiau'r Deffro,* Dyddgu Owen
Monica, Saunders Lewis
Cysgod y Cryman, Islwyn Ffowc Elis
I Fyd Sy Well, Siân Eirian Rees Davies
Hi Yw Fy Ffrind a *Hi Oedd Fy Ffrind,* Bethan Gwanas
Rhwng y Nefoedd a Las Vegas, Elin Llwyd Morgan

FFANTASI

Mae Hud a Lledrith yn amlwg iawn yn ein chwedloniaeth gynnar. Enwir Math fel un o'r 'Triwyr Hud a Lledrith'. Un o nodweddion lledrith yw'r gallu i newid ffurf. Mae Math yn gweddnewid Gwydion a Gilfaethwy yn anifeiliaid; mae Gwion Bach wrth ffoi rhag Ceridwen yn cymryd ffurfiau gwahanol; mae pen Brân yn fyw ac yn gallu siarad; 'dodi hud ar y wlad'; creu merch brydferth o'r enw Blodeuwedd o'r blodau. Yn 'Peredur' mae darnau gwyddbwyll sy'n chwarae ohonyn nhw'u hunain ac yn gweiddi. Mae yn y chwedlau anifeiliaid yn siarad, ac yn 'Iarlles y Ffynnon' ceir pobl sy'n gallu siarad ag anifeiliaid.

Bu gwrthryfel yn erbyn realaeth y nofel ymysg llawer iawn o awduron cyfoes gyda nofelau Harry Potter yn Saesneg yn dangos mor hoff yw pobl o hud a lledrith.

Personoli anifail

Roedd hi'n hwyr iawn ar Morgan yn dychwelyd i'r twlc y noson honno ac roedd o wedi blino'n lân.

Roedd ganddo gyfrinach i ddeud wrtha i, ac er bod lludded yn llenwi'i lygaid roedd 'na ormod ar ei feddwl i ildio i gwsg. Feddylish i i gychwyn mai mynd i gyfadda'i fod o'n siarad iaith pobol yr oedd o, ond fe suddodd fy nghalon pan ddatgelodd wrtha i pam yr oedd o wedi cynhyrfu gymaint.

"Ma' Mali isio i mi fynd hefo hi i'r sioe, Mam!"

Welwn i ddim beth oedd achos y cynnwrf yn hynny fy hun, ond os oedd o'n gneud Morgan yn hapus, doeddwn i ddim am luchio dŵr oer ar betha. Wel, dim ar f'union beth bynnag.

"Ydi hi wir?" holais yn betrus.

"Be sy?" gofynnodd yn syth. Roedd o wedi gobeithio y byddwn i wedi rhannu'i gynnwrf mae'n siŵr, ond fedrwn i ddim. Dim ynglŷn â'r sioe o bob dim.

"Be sy, Mam?"

"Dim, Morgan bach, dim byd."

"Ti'm yn licio'r sioe yn nagwyt?"

'Nes i ddim o'i atab yn syth. Doeddwn i ddim yn siŵr iawn sut i'w atab o.

"Pam?" holodd fi wedyn yn daer.

"Lle i arddangos anifeiliaid ydi o. A'n harddangos fel mae dyn am ein gweld ni, Morgan. Nid fel 'dan ni am weld ein gilydd."

"Dwi ddim yn mynd i fod ar sioe yno."

"O?"

"Mynd yno hefo Mali dwi."

"Dwyt i ddim yn cael dy arddangos, felly?"

"Mond fel anifail anwes."

"O, be 'di hynny ond bod ar sioe, Morgan bach? 'Dio ddim gwell na cha'l dy arddangos fel anifail pasgedig."

"Ydi mae o!" protestiodd yn bwdlyd.

Doedd gen i fawr i'w ddeud am y sioe. Roeddwn i wedi clywed digon amdani i wybod mai lle i gael eich procio a'ch bodio oedd o, heb fawr o urddas yn perthyn iddi o gwbwl. Lle i'r ffermwr ddangos gystal cig oedd ar yr anifail, lle rhostir moch yno o flaen eich llygaid nes bod dŵr yn dod i'ch dannedd, a lle mae ennill yn bwysig a cholli'n magu cenfigen. Lle felly ydi sioe.

"Tydwi ddim yn mynd yno fel mochyn, Mam. Fe anifail anwes dwi'n mynd."

"Wel os nad wyt ti'n mynd yno fel mochyn, fel be wyt ti'n mynd yno ta? Oes gen ti gwilydd o fod yn fochyn ta, Morgan?"

Ddaru o ddim ateb yn syth. Ac roedd y saib yn siarad cyfrola.

"Nagoes siŵr. Fedra i'm smalio mod i'n ddim byd arall yn na fedra?"
"Ma' Mali'n trio'i gora hefo chdi."
"Be 'dach chi'n feddwl?"
"Dwyt ti'm yn edrach fel mochyn pan ma' hi'n dy wisgo di'n y dillad 'na, Morgan."
"Mond chwara 'dan ni."
"Fedar chwara arwain i lawar o betha."
"Be 'dach chi'n feddwl?"
"Dim."
"Dudwch, Mam. Dudwch be sy'n mynd drw'ch meddwl chi."
"Ddaw 'na'm lles ohono fo, Morgan."
"Be? Lles o be?"
"O'r hyn 'dach chi'n 'i neud... ac yn i... ddeud wrth 'ych gilydd."
"Sut gwyddost di? Sut gwyddost di be ma' Mali a fi'n 'i ddeud wrth yn gilydd?"
"Dwi wedi'ch clwad chi, Morgan bach. Heddiw. Yng ngwaelod yr ardd."
Ddudodd o ddim byd am sbel. Mi steddon ni yno fel 'tai'r cyfaddefiad wedi digwydd rwsud. Fel tasa bob dim wedi'i ddeud. Roedd o'n dawelwch da, ac roedd 'na ryddhad yn ei anadl. Roedd y ddau ohonan ni'n edrach allan am y beudy a chilcyn o ola'n dŵad o gyfeiriad y tŷ ac yn dal gwyn 'i lygad o. Roeddwn i'n 'i ddal o'n edrych arna i weithia, i weld beth o'n i'n 'i feddwl. Ddudish i'm byd. Doedd dim angen deud dim mwy. Heno. Ac mi gysgodd. Mi gysgodd yn sownd. Mi gysgodd fel mochyn.

Brwydr y Bradwr, Cefin Roberts

Darllen Pellach

Y Mabinogi
Culhwch ac Olwen
Mae Robin Llywelyn yn defnyddio ffantasi gydag anifeiliaid sy'n siarad i greu stori sy'n ymosod ar ragfarn a'r modd mae lleiafrifoedd yn cael eu trin.
'Reptiles Welcome', *Y Dŵr Mawr Llwyd,* Robin Llywelyn

Atodiad Un

Gwneud Dadansoddiad o Gymeriad

1. A oes disgrifiad corfforol o'r cymeriad?

2. Beth yw rhan y cymeriad yn y nofel? (Arwr, dyn drwg, is gymeriad)

3. Oes llif meddyliau gan y cymeriad yma:
   - am gymeriadau eraill
   - am y cymeriad ei hun
   - am y sefyllfa

4. Dialog y cymeriad
   - Oes nodweddion arbennig i iaith ei ddialog?
   - Beth mae'r dialog yn ei ddatgelu am y cymeriad?

5. Barn Cymeriadau Eraill
   - A yw dialog cymeriadau eraill yn datgelu eu barn am y cymeriad yma?
   - A oes llif meddyliau cymeriadau eraill yn datgelu eu barn am y cymeriad yma?

6. Beth yw agwedd yr awdur at y cymeriad?

7. A yw'r cymeriad yn gysylltiedig â rhyw symbolaeth neu ddelweddau?

8. Pa weithredoedd sy'n dangos y cymeriad?

9. Ydy'r cymeriad yn gwneud dewisiadau pwysig?

10. Pa ddigwyddiadau allweddol y mae'r cymeriad yn rhan ohonyn nhw?

11. A yw'r cymeriad yn gwrthdaro gyda chymeriadau eraill? Pam?

12. Oes gwrthgyferbyniad rhwng y cymeriad yma a chymeriadau eraill?

13. A yw'r cymeriad yn amlochrog/crwn neu'n unochrog/fflat?

14. Os yw'r cymeriad yn amlochrog beth yw ei rinweddau a'i wendidau?

Atodiad Dau

Gwneud Dadansoddiad o Blot ac Adeiladwaith Nofel

Dadansoddiad enghreifftiol o blot ac adeiladwaith William Jones.

	Lleoliad Amser	Lleoliad Daearyddol	Cymeriadau	Digwyddiadau Pwysig
1	Presennol	Ardal y Chwareli	William Leusa	William yn codi'n hwyr
2	Dilyniant	Leusa yn y dre Adref Cartref ei brawd	Leusa William Ifan brawd Leusa	Leusa'n gwario ar ei hun yn y dre/ William adre – dim swper/Ffrae/ *Digwyddiad allweddol* – William yn bygwth mynd i'r Sowth
3	1) Olfflachio i garwriaeth William a Leusa – Meri chwaer William a'i gŵr Crad yn mynd i'r De 2) Nôl i'r Presennol	Cartref Seiat Tŷ ffrind Cartref	William Leusa Meri a Crad Bob Gruffydd Wmffra Roberts Ifan brawd Leusa	Cofio carwriaeth a Meri yn mynd i'r Sowth Leus i'r pictiwrs William i'r Seiat Bwyta swper yn nhŷ ei gyfaill Ffrae gyda Leusa *Digwyddiad allweddol* – "Cadw dy blydi Chips"

Cyfrolau gwerthfawr erail gan y lolfa

Berw'r Byd – Ffuglen

Gwerslyfr i Gyfnod Allweddol 3 yn cyflwyno deunydd ar dair thema.

£6.95 ISBN 0-86243-961-2

Mae cyfrol arall, *Berw'r Byd – Ffeithiol* hefyd ar gael, yn ogystal â CD-Rom.

Hefyd gan Emyr Llywelyn

Llwybrau
Gwerthfawrogi Llenyddiaeth a Barddoniaeth

Cyfrol werthfawr sydd yn rhoi arweiniad pendant i ddisgyblion ysgol wrth iddynt werthfawrogi ac ysgrifennu barddoniaeth a rhyddiaith. Bydd y gyfrol o ddiddordeb hefyd i bawb arall sydd yn ymddiddori mewn llenyddiaeth.

£9.95 ISBN 0-86243-781-4

Am restr gyflawn o lyfrau'r wasg,
mynnwch gopi o'n Catalog newydd, rhad
– neu hwyliwch i mewn i'n gwefan

www.ylolfa.com

i chwilio ac archebu ar-lein.

TALYBONT CEREDIGION CYMRU SY24 5AP
e-bost ylolfa@ylolfa.com
gwefan www.ylolfa.com
ffôn (01970) 832 304
ffacs 832 782